AMAR DESAMAR AMAR DE NOVO

Como garantir um relacionamento saudável e feliz

MARCOS LACERDA

Psicólogo, YouTuber do canal **Nós da Questão**

AMAR
DESAMAR
AMAR DE NOVO

Como garantir um relacionamento saudável e feliz

© 2019 Marcos Lacerda
© 2019 VR Editora S.A.

Latitude é o selo de aperfeiçoamento pessoal da VR Editora

DIREÇÃO EDITORIAL Marco Garcia
EDIÇÃO Fabrício Valério e Marcia Alves
PREPARAÇÃO Frank de Oliveira
REVISÃO Juliana Bormio de Sousa
PROJETO GRÁFICO E DIAGRAMAÇÃO Renata Vidal
CAPA Pamella Destefi

Dados Internacionais de Catalogação na Publicação (CIP)
(Câmara Brasileira do Livro, SP, Brasil)

Lacerda, Marcos
Amar, desamar, amar de novo / Marcos Lacerda. – 1. ed. –
São Paulo: VR Editora, 2019. (Latitude)

ISBN 978-85-507-0294-0

1. Afetividade (Psicologia) 2. Comportamento (Psicologia)
3. Desenvolvimento pessoal 4. Relações amorosas
5. Relações interpessoais I. Título.

19-30469   CDD-158.2

Índices para catálogo sistemático:
1. Relacionamentos : Psicologia aplicada 158.2
Maria Paula C. Riyuzo - Bibliotecária - CRB-8/7639

Todos os direitos desta edição reservados à
VR EDITORA S.A.
Via das Magnólias, 327 | Jd. Colibri
CEP 06713-270 | Cotia | SP
Tel.| Fax: (+55 11) 4702-9148
vreditoras.com.br
editoras@vreditoras.com.br

SUA OPINIÃO É MUITO IMPORTANTE
Mande um e-mail para **opiniao@vreditoras.com.br**
com o título deste livro no campo "Assunto".

1ª edição, nov. 2019 - 1ª reimpressão, ago. 2020
FONTE Neutra Text Book 11/15,85pt
PAPEL Polen Bold 70 g/m²
IMPRESSÃO PlenaPrint
LOTE P21423

*À memória de Lucinete Lacerda,
com quem aprendi a amar.*

ONDE FORAM PARAR OS BONS RELACIONAMENTOS?

A vida é uns deveres que nós trouxemos para fazer em casa.
Quando se vê, já são 6 horas: há tempo...
Quando se vê, já é 6ª-feira...
Quando se vê, passaram 60 anos!
Agora, é tarde demais para ser reprovado...
E se me dessem — um dia — uma outra oportunidade,
eu nem olhava o relógio
seguia sempre em frente...
E iria jogando pelo caminho a casca dourada e inútil das horas.

MARIO QUINTANA,
"ESCONDERIJOS DO TEMPO"

ERA uma vez um casal que se encontrou em um desses aplicativos de paquera. Quando se viram pela primeira vez, o rapaz, que fazia tempo buscava um relacionamento para chamar de seu, pensou: "Essa daí tem tudo para ser minha namorada!".

Então, dançaram a noite toda, se divertiram e gargalharam com uma felicidade tão grande que tiveram o mesmo pensamento: "Será que a gente já se conhece de outras vidas?". Tudo assim, de imediato, intenso, rápido, mas tão rápido que num piscar de olhos já eram bocas, pernas e peles se misturando entre os lençóis.

A conversa ainda continuou por mensagens no celular durante alguns dias, mas... nunca mais se encontraram. E, assim, o rapaz e a moça seguiram cada qual sua vida, indo e vindo entre aplicativos de relacionamentos e encontros que resultavam em nada. E, a cada nova frustração, era como se uma nova cicatriz marcasse o coração de cada um, como pequenos infartos, até que eles já quase não acreditavam na possibilidade de uma relação duradoura e feliz. Estavam tão anestesiados pelo jeito efêmero das coisas que nem conseguiam mais se imaginar com alguém por tempo maior que o de alguns encontros. E ficaram pensando que a tal "sorte de um amor tranquilo", como aquela da música de Cazuza, talvez existisse para muito poucos, mas não para eles. *The End.*

Espero que você, querido leitor ou querida leitora, não tenha esse sentimento. Que seu coração ainda esteja batendo forte, vivo, com pouca ou nenhuma cicatriz. Mas, honestamente, duvido que seja assim, porque essas decepções parecem ser um tipo de epidemia.

Não, não sou pessimista quando o assunto é relacionamento. Pelo contrário. Quando decidi escrever este livro, era exatamente para mostrar que não é preciso sorte para ter um amor tranquilo. Nas próximas páginas, vamos conversar sobre como compreender e transformar seus relacionamentos — ou a forma como você os vive no seu dia a dia. Prometo que, ao terminar a leitura, você vai descobrir, dentro de si, habilidades para mudar o rumo das suas relações e ser mais feliz.

Vai ser preciso nadar contra a corrente, mas não será necessário ser antiquado para conseguir isso. A gente está bem longe daquele modelo de amor do século 19, então seria uma bobagem dizer que as maneiras de se relacionar afetiva e sexualmente não mudaram, sobretudo depois da velocidade da internet e das possibilidades trazidas por ela, assim como, num segundo momento, pela hiperconexão.

A moda agora é "amar o próximo". O próximo da fila, o próximo do aplicativo, o próximo da próxima festa. Então, que venha o *próximo* para ser "amado". Amado não. Consumido, né? Porque hoje todo mundo quer ser livre, quer viver experiências, quer estar "por dentro", quer ter seu espaço. Comportamentos ligados à visão de juventude e à falta de compromisso, que, convenhamos, anda cada vez mais sobrevalorizada na nossa sociedade. E isso acaba sendo mais um complicador nos relacionamentos, porque virou escravidão para muita gente ser eternamente jovem — ou fazer de tudo para aparentar ser. Alguns até parece que trocaram a flecha de Cupido pela agulha com botox, e seguem esquecidos de que, como dizia Mario Quintana, "quando se vê, passaram 60 anos! Agora, é tarde demais".

"Ah! Bom mesmo era antigamente!", pensarão os saudosistas. Não, antigamente *não era melhor*. Antigamente era apenas *diferente*. Mas diferente quer dizer apenas que não era igual. Será mesmo?

Agora sim, sua cabeça deu um nó. Primeiro, eu digo que as coisas mudaram, sobretudo depois da internet e das transformações que ela gerou. Então, como eu posso, de repente, questionar a diferença? Calma, bebê!

Eu explico. O caso é que, quando não existia o smartphone, nem os aplicativos de mensagens instantâneas e os de encontros românticos, existia o telefone fixo. Aí a gente estourava a conta ligando para o disque-amizade, uma espécie de sala de bate-papo por telefone que colocava as pessoas em contato. O que se buscava era namoro, sexo ou alguém para dar uns bons beijos na boca. E, voltando ainda mais no tempo, tinha a pracinha do bairro, onde as crianças brincavam e os adolescentes paqueravam. Para quem morava distante, o "aplicativo" era a carta, aquela de papel com envelope e selo. Lembra?

E era aquela ansiedade esperar o carteiro passar, trazendo (ou não) a resposta da pessoa amada. Acontece que, muitas vezes, a danada da carta simplesmente não chegava. E aí você escrevia de novo e, se não chegasse resposta novamente, isso equivalia ao atual botão de "bloquear contato". Você estava mesmo excluído da vida da outra pessoa e ponto-final.

Para quem vivia na mesma cidade, os amigos ou amigas levavam e traziam recados ou bilhetes apaixonados. Ou, ainda, os solitários ligavam para os programas românticos das rádios e deixavam os "perfis" que o radialista, de voz empostada, lia embalado por músicas melosas: *"Mulher, 25 anos, da Zona Norte, 1,75 m, 70 kg, solteira, quer namoro ou amizade com rapazes da região. Adora cinema e jantar fora".* Mais música açucarada e seguia: *"Rapaz de 19 anos, magro, 1,80 m, 78 kg, moreno-claro, da Zona Oeste, busca pretendentes para um relacionamento sério. Adora surfar nas horas vagas, e é muito romântico".* Era esse o clima.

Isso sem contar os programas de namoro na televisão que eram uma febre nos anos 80 e 90. Muita gente os achavam bem bregas, mas a audiência se divertia!

Não precisa cheirar as páginas do livro, porque o odor de naftalina e mofo está forte. Mas aonde é que eu quero chegar com esse papo tão velho? Quero que você perceba algo bem simples: as formas — e as ferramentas — para se buscar e viver relacionamentos mudaram, mas o que nunca mudou foi a carência e a procura humana por afeto e companhia. Seja com aplicativos, seja com cartas, na literatura romântica ou nas telenovelas — assim como na vida real —, sempre existiram os desencontros, os amores não correspondidos, a sensação de que "ninguém presta", de que "eu nasci para a solidão" e "vou ficar para titia", ou ser o "solteirão do bairro".

Eram esses os termos usados antigamente, quando mulheres ou homens passavam da idade de casar. Ou seja, nós humanos desde sempre nos sentimos vazios, sempre procuramos amores e sofremos com essa busca e por causa dela. Se não fosse verdade que as frustrações e anseios de hoje são os mesmos do passado, os melodramas televisivos já teriam deixado de existir e ninguém nem saberia quem foi Shakespeare. Sim, quatrocentos anos depois, a história de Romeu e Julieta segue na cabeça de todo mundo. E não é à toa que, com ou sem tecnologia, as grandes histórias de amor sempre tiveram o poder de mobilizar o mundo todo, que o diga a princesa Diana e todos os casamentos reais que vieram antes e depois do dela.

Então, já de cara, vamos derrubar a ideia de que existiu um tempo em que vivíamos bons relacionamentos e que estes deixaram de existir por causa da sociedade consumista, tecnológica, na qual o sexo é fácil e as pessoas se tornaram descartáveis. Pensar assim equivale a criar uma espécie de mito que, ao mesmo tempo que esconde uma humanidade extremamente angustiada e cada vez mais deprimida, mostra algo da nossa essência frágil, que Tom Jobim traduziu ao cantar que "é impossível ser feliz sozinho". E não, não precisa ficar zangado com o que o poeta escreveu, nem tomar como insulto pessoal e começar a gritar: "Que absurdo, pois saiba que eu vivo só e sou muito feliz!".

Ok, eu acredito em você. Algumas pessoas podem ser felizes sem ter um relacionamento amoroso. Mas amplie um pouco sua percepção sobre o que Tom Jobim estava falando e sejamos honestos: a gente busca qualquer coisa que faça passar a dor que nos consome, essa dor que só nós, seres humanos, sabemos como é. Que fala de solidão, da sensação de sermos incompletos e de um tipo de desamparo existencial que o par amoroso nunca vai ser capaz de suprir (algo que nem cabe a ele fazer), mas que, sem dúvida, na companhia de alguém que amamos e que nos ama, a gente consegue suportar melhor.

Então, se o leitor e a leitora me permitem, vou reescrever a frase do poeta e direi que é *impossível se salvar sozinho* desse abismo afetivo que sobrevive em nós e que atravessa as gerações, apesar do passar dos séculos. Por isso, ainda que os relacionamentos não sejam cor-de--rosa, que não sejam a todo minuto uma paixão desenfreada, que tenham momentos de desavenças e de incompreensões, o ser humano sonha, sim, com alguém especial que dê aquela esquentada na alma, quando o assombra o vento gelado da solidão.

Nessa busca de respostas ou saídas, muitas pessoas recorrem a leituras sobre relacionamentos, porque procuram respostas ou fórmulas prontas para melhorá-los. Se for esse seu caso, eu tenho uma má e uma boa notícia:

- **A má notícia:** fórmulas prontas não funcionam (talvez você já soubesse disso!);

+ **A boa notícia:** você pode aprender a criar suas próprias fórmulas para conseguir ser feliz no relacionamento saudável que tanto quer.

Desde quando comecei o canal "Nós da Questão", no YouTube, recebo todos os dias inúmeros e-mails de inscritos, contando situações da própria vida e me perguntando: "O que devo fazer?".

A pessoa que procura ajuda por meio de mensagem privada e me faz esse tipo de pergunta, parte de dois princípios:

1. Alguém sabe mais que eu mesma o que é melhor para a minha vida;

2. Eu não me considero parte do problema e me eximo da responsabilidade de resolvê-lo. Como se buscasse uma pílula mágica que a tirasse do País das Maravilhas de Alice — ou a colocasse nele.

E, nessa onda de pessoas carentes por uma resposta vinda de fora, há quem recorra aos astros, às simpatias e aos charlatões que ganham dinheiro vendendo soluções mágicas e frases de efeito que os outros querem ouvir, mas que não resolvem nada.

Aprenda uma coisa: nunca permita que eu ou outro psicólogo, ou qualquer "ólogo" por aí, decida o que é melhor para sua vida. Primeiro porque não é essa a nossa função, e depois porque a sua palavra e a sua percepção devem sempre ser as *mais importantes*. No final, se o caminho seguido for ou não o mais acertado, você terá sido fiel a seus sentimentos, e é muito libertador quando nos sentimos donos das nossas escolhas. Claro que minhas palavras podem fazer você refletir — e espero que façam —, mas nunca as engula como um comprimido recheado de verdades absolutas. Não dê esse poder a mim nem a ninguém!

Tenha em mente que o melhor caminho para seu relacionamento existe, mas ele não vem nem de fora, nem de forma clara, nem como verdade única. E muito menos da boca de um estranho. Seus caminhos afetivos estão dentro de você e são revelados a partir do momento em que você passa a compreender melhor seus sentimentos e as dinâmicas do relacionamento a dois (ou a três, ou a quatro, vai saber...). Conhecimento é poder. Poder de decidir ficar ou ir, de transformar ou manter, de acreditar ou duvidar.

É isso o que eu quis dizer quando, lá no começo, lhe prometi que, ao terminar de ler este livro, você descobrirá *dentro de si* — e não dentro de mim — habilidades para mudar o rumo de suas relações. Se este livro fosse tornar você dependente de mim — com cursos ou guias on-line, que eu induziria você a comprar no final da leitura —, eu certamente não o escreveria. Busco construir parcerias humanas transformadoras, não aprisionar pessoas.

Você nasceu para ser como um pássaro, livre nas suas relações com quem ama (ou com quem lê). Neste livro, eu poderei fazer muita coisa junto *com você*, mas não *por você*.

Então, que tal fazermos essa transformação, nós dois, lado a lado, refletindo sobre as coisas que tenho para dizer nas próximas páginas? Está na hora de você se reinventar por meio do conhecimento.

Vamos embarcar juntos nessa viagem?

O PERIGO DOS RELACIONAMENTOS "PROPAGANDA DE MARGARINA"

Eu quero amar, amar perdidamente!
Amar só por amar: Aqui... além...
Mais Este e Aquele, o Outro e toda a gente
Amar! Amar! E não amar ninguém!

FLORBELA ESPANCA, "AMAR"

"O ROMANTISMO morreu!"

"Ninguém quer mais nada sério com ninguém!"

Você certamente já disse isso, ou pelo menos escutou algo parecido por aí, não é? É bem comum a gente escutar pessoas dizendo coisas desse tipo. De fato, estamos vivendo em um planeta onde "todo mundo espera alguma coisa de um sábado à noite", mas a gente não está se dando conta de que acontece algo estranho... que parece desconexo: todo mundo se procura, e ninguém se acha. E voltar para casa sozinho depois da balada virou quase uma regra.

Falam em amores líquidos, em relações *fast-food*, em amizades com "benefícios", e por aí vai. Mas a verdade é que, independentemente do rótulo, viver a dois é algo complicado! Por mais que a gente ame, não sentimos a todo o momento aquele amor do tipo "borboletas fazendo cócegas na barriga" (e teríamos de sentir?).

As relações também são desacordos, injustiças, incompreensões e, às vezes, até a vontade de partir para nunca mais voltar. Entretanto, eu me pergunto se o que está acontecendo hoje em dia é realmente uma desestruturação que torna o relacionamento inviável, ou se os casais contemporâneos não estariam passando por um complicado paradoxo: o de descobrirem se querem continuar vivendo formatos de relacionamentos que foram aprendidos, ou apostar na fragilidade do ser a dois, mergulhando na aventura de encontrar-se consigo mesmo e aprender a se comunicar sem máscaras ou véus preconcebidos.

Mais que uma superficialização, aquilo pelo que os relacionamentos estão passando é uma reestruturação, a busca de uma nova identidade, de formas diferentes de se relacionar e ser feliz. E, como toda transição, isso pode ser algo bem doloroso e aparentemente caótico. Calma, bebê! Só estamos no começo do livro, ainda vamos conversar bastante sobre isso, mas garanto a você que o panorama é bom.

Acho que não seria nem um pouco ousado dizer que existe uma possibilidade quase infinita de formatos de relacionamento. Mas o caso é que, quando duas pessoas querem compartilhar a vida juntas, de forma amorosa, sempre vai existir o parente, o vizinho, a sociedade... para lembrar que há costumes que fazem uma relação ser "normal e saudável" e que seu relacionamento e seu amor só será verdadeiro se couber dentro desse frasco com um rótulo, onde se lê, em letras gigantes, as normas estabelecidas e usadas por gerações.

E eu não estou dizendo que os relacionamentos podem, precisam ou devem ser: abertos, fechados, meio abertos, estáveis, vai e volta, monogâmicos, poligâmicos, poliamor, competitivos, enrolados, acomodados, homoafetivos, independentes... chega a cansar tanta tentativa de classificar pelos outros! O que quero que você compreenda é que há tantos modelos de relacionamento quanto pessoas no mundo, e que você e a pessoa que você ama vão ter de encontrar o de vocês.

Existem mil maneiras de preparar o amor, mas, para inventar a sua forma, você vai ter de ousar mergulhar nas suas verdades e desmontar as verdades dos seus pais, da família e dos amigos; verdades que você engoliu como uma pílula e acabou acreditando serem suas.

> ***Para isso, comece se perguntando coisas simples do tipo:***
>
> ✓ Afinal, quem sou eu em um relacionamento?
>
> ✓ O que de fato eu sinto, desejo ou sonho?
>
> ✓ O que é mesmo que me faz sofrer ou me deixa feliz numa relação a dois?

✓ Será que eu nasci para ser mãe ou apenas me ensinaram que uma mulher só é completa quando passa pela maternidade?

✓ Será que eu gosto mesmo de futebol ou me ensinaram que eu só poderia gostar de futebol e nunca de balé?

Claro que essas frases são apenas provocações para estimular você a se perguntar muito mais. Porque o problema é este: como experimentar a minha verdade interior sem medo de "perder a cabeça" ou de sofrer o julgamento dos outros? Vivemos tão distantes da nossa essência, tão presos ao que nos ensinaram sobre o que deveríamos sentir, que acabamos muitas vezes azedando nossos relacionamentos por causa de sentimentos e comportamentos que, lá no fundo, nem são os nossos.

Acredite, em mais de 25 anos trabalhando como psicólogo clínico, atendendo tantas pessoas todos os dias em meu consultório, já ouvi muitas coisas sobre relacionamento humano. Algumas deixariam o Marquês de Sade com o cabelo em pé. Mas, sossegue, não vou deixar você na curiosidade. Posso citar algumas histórias que ouvi ao longo de todos esses anos para tentarmos raciocinar juntos — mas, claro, sem identificar ninguém. Afinal, nem preciso lembrar que é meu dever ético proteger a privacidade e o anonimato dos pacientes, sempre!

Lembro-me de um paciente que vivia com a namorada (que depois virou esposa) uma relação dos sonhos. Sabe aquele modelo da propaganda de margarina? O sonho de que um dia teremos a família perfeita e feliz, com filhos fofos e obedientes, um cachorro labrador abanando o rabo, e que acordaremos todos bem penteados, sorrindo e conversando ao redor de uma mesa, com café e leite fumegantes, comendo um delicioso suflê de milho com uma generosa camada de creme vegetal (traduzindo: cuscuz com margarina — porque eu sou nordestino e, sim, a gente adora cuscuz no café da manhã) e tudo vai ser aquela felicidade eterna e eu serei para sempre só seu e vice-versa, até estarmos brincando com nossos netinhos. Pois bem, era esse o modelo que o paciente e a namorada buscavam e que acreditavam estar construindo.

Na verdade, não apenas o paciente em questão. Esse modelo é uma fantasia presente no inconsciente da maioria dos brasileiros: a de que as famílias que aparecem (ou apareciam) nas propagandas de margarina são o modelo de relacionamento ideal (como se houvesse um modelo único) e formam o casal que será feliz para sempre. Sem contar que, ao criar o desejo de sermos tão felizes quanto a família do comercial, a publicidade está ligando felicidade amorosa a uma prática de consumo. Portanto, você também aprende, indiretamente, que para ser feliz numa relação afetivo-amorosa o casal precisará ter uma dinâmica de consumo elevada. E há algo de errado em se sonhar com esse modelo? Sonhar não! O problema é que não é bem assim que a banda toca na vida real.

Para combinar com a publicidade e com seu espírito consumista que se atrela ao amor, vou chamar meu paciente de Mike e sua companheira de Lucy (nomes bem americanalhados, de propósito). Depois de dois anos de namoro e um de casados, e embora Mike mantivesse a rotina e não desse motivos para desconfianças, Lucy encasquetou que ele já não era mais o mesmo; que andava estranho, como se escondesse algum segredo.

> *"Do nada ela disse que estava acontecendo alguma coisa que eu não queria contar. Neguei: 'Você ficou maluca Lucy? Do que é que você está falando? Para com isso, amor, não está acontecendo nada!' Ela insistiu que quando olhava para mim algo parecia errado, fora do lugar. Desconversei e falei para ela parar com as paranoias."*

Mike me contou que Lucy era uma pessoa com uma intuição muito aguçada. A danada parecia saber mesmo ler a alma dele, percebendo sinais que ela não conseguia decifrar com clareza, mas que a deixavam de orelha em pé.

Na verdade, Mike já vinha me falando de coisas que ele havia vivido, que não conseguia contar para a esposa e que o estavam angustiando, e me confessou que, depois desse interrogatório, sabia que, se não abrisse o jogo com Lucy, seria pior, porque ela farejaria até descobrir a verdade. A história sossegava por uns dias, mas depois surgia de novo a mesma conversa. Lucy não parava de insistir e Mike só desconversava. Mais algumas semanas se passaram, até que ela finalmente foi mais incisiva e soltou uma pergunta que tocou a alma de Mike:

— *Escuta, você está me traindo?*

Mike deu uma resposta que pareceria, a quem olhasse de fora, bem canalha; mas ele estava tentando ser o mais verdadeiro possível e, de algum modo, falar foi algo libertador para ele: "Traí, mas não de uma forma constante!". Ele então explicou a Lucy que já havia saído algumas vezes em encontros casuais, mas que, em três anos, isso acontecera apenas duas vezes. E aí veio aquela situação, né? Raiva, ódio, "não chega perto", "sai daqui", "não quero nunca mais ver você...", tudo que estava no *script*. E quando eu digo "*script*", não é porque a vida parece uma novela; mas, sim, porque muitas vezes as pessoas reagem às situações não da forma como realmente estão sentindo, mas da forma como lhes ensinaram que deveriam reagir.

Na sessão seguinte, uma semana depois, Mike me conta que Lucy apareceu querendo conversar. Com a cabeça mais fria, analisou o que havia acontecido e decidiu perguntar se Mike não a amava mais e o que ele queria de fato.

> *"Doutor, mesmo ainda muito machucado com tudo que estava acontecendo, eu deixei as palavras saírem do jeito que me vieram à cabeça e falei: 'Lucy, eu a amo e tenho muito medo de perder você. Na verdade, não me imagino vivendo com outra pessoa. Para mim, nossa relação me completa demais. Mas não posso negar que mesmo amando muito você, eu me sinto sexualmente atraído por outras mulheres.'"*

Peraí... me ama... atraído por outras mulheres... essas palavras não pareciam fazer sentido para Lucy. Mas depois de muitos outros diálogos as palavras acabaram se encaixando. E, nesse encaixe, fizeram sentido, porque Lucy também conseguiu perceber que, apesar de sentir o marido como o homem da sua vida, ela, embora jamais o tivesse traído, também achava outros homens atraentes e tinha lá suas fantasias secretas.

Claro que saber disso foi uma tapa na cara de Mike, que se enfureceu, se indignou, questionou-se sobre o caráter da mulher (sobre o dele ele não se questionava, óbvio!), até que, aos poucos, desconstruindo o próprio machismo e as crenças limitantes que lhe haviam sido ensinadas, ele começou a entender que homens e mulheres são seres de desejo e que Lucy não sentia nada diferente do que ele próprio já não pudesse ter sentido.

Mas como assim? A ciência já cansou de mostrar que homens e mulheres têm "necessidades sexuais" diferentes; é da "natureza" do homem plantar sua semente no máximo de jardins possível, e a função do jardim é ficar quieto, esperando a semente. Onde já se viu um jardim correndo e gritando: "Me semeiem". Que absurdo! Alguns até vão colocar a culpa na testosterona; homens estão inundados pelo hormônio do desejo sexual. Isso é assim desde o tempo das cavernas, não é mesmo?

Não há como negar que existem diferenças hormonais entre homens e mulheres, mas a nossa capacidade de desejar afetiva e sexualmente é algo que ultrapassa a bioquímica do corpo.

E pense comigo: se eu disser que todo homem é "cachorro, safado, sem-vergonha" e que aquele homem que nunca traiu um dia certamente vai trair, mas que por outro lado toda mulher, por ter um metabolismo e uma anatomia diferentes do homem, é o oposto dele, fica a pergunta: com quem os homens traem, afinal? Com outros homens? Alguns, talvez, mas certamente não a maioria.

Ou seja, se o desejo de homens e mulheres é tão diferente assim, essa matemática da traição compulsória masculina simplesmente não fecha. E aí ficamos com a lógica absurda de que homem é assim mesmo e está apenas seguindo o instinto. Para, bebê! Para que tá feio!

Ser o que realmente se é...

Mas, voltando a Mike e Lucy, vejamos o que dá para aprender com eles. Dispa-se dos seus julgamentos sobre esse casal. Sei que, enquanto você estava lendo esse relato, sua cabeça ficou trabalhando sem parar e, mesmo inconscientemente, tentou encaixar os dois em algum rótulo. A gente tende a fazer isso mesmo, aprendemos desde pequenos a viver classificando as coisas. Mas o fragmento do relato do caso desse casal serve para ilustrar que, a partir desse momento de dor que eles viveram, nasceu algo muito rico na relação deles (e que pode nascer na sua, também): a possibilidade de serem, um para o outro, o que realmente são. De falarem o que realmente sentem, pensam ou desejam. De não precisarem usar máscaras e, sobretudo, de compreenderem que ambos são humanos e que ninguém sente ou vive exatamente o que as sociedades ou as religiões ou, ainda, as propagandas de margarina determinam. Você é bem mais complexo que sua biologia e que sua anatomia! Você será feliz na sua relação com outra pessoa quando essa complexidade puder ser colocada e acolhida sem julgamentos, dos dois lados do casal.

Mas aprenda também uma coisa, antes de sair atirando pedras nos outros: nem eu, nem você, nem *ninguém* vive da forma ideal; na verdade, a gente nem vive como gostaria, a gente vive como consegue!

E é nesse viver do jeito que conseguimos que a gente vai, pouco a pouco, amadurecendo e se melhorando como ser humano, parceiro ou parceira. Além do mais, use de honestidade e me responda: se a pessoa que você ama conversasse abertamente com você sobre as coisas que sente, você teria maturidade para acolher essa realidade do mundo interior do outro sem escândalos e sem julgamentos? E mais: teria a honestidade de colocar sobre a mesa as *suas* realidades e desejos inconfessos? Ou você já ligaria o seu modo automático de funcionamento e sairia dando uma voadora na jugular da outra pessoa? "Ah, mas viver isso dessa forma, conversando esse tipo de coisa, é muito difícil", você me diz. E é mesmo! Mas agir dessa maneira dentro dos relacionamentos é um exercício de maturidade que limpa os aspectos mais obscuros e difíceis do viver a dois. Então, que tal começar a buscar uma vida amorosa mais rica em parceria, despindo-se dos disfarces e fazendo o exercício da honestidade, da transparência madura mesmo naquilo que lhe ensinaram que os casais não podem sentir ou que acham que não fica bem sentir?

Enquanto não formos suficientemente honestos para dialogarmos sobre nossa verdade interior com o outro e não tivermos serenidade para receber a verdade do mundo interno de quem nós amamos, os relacionamentos vão ser sempre efêmeros como as propagandas de margarina, que, caso você não se lembre, duram apenas trinta segundos no intervalo da programação da TV.

E, como eu acredito que a teoria ensina, mas o exemplo transforma, que tal continuarmos desconstruindo o mito da relação "propaganda de margarina", partindo agora da história de outro casal? Dessa vez, só para a coisa ficar mais romanticamente açucarada, usaremos nomes franceses: vamos chamá-los de Jean e Amélie.

Pressa de chegar a lugar nenhum

Jean e Amélie eram pessoas muito intensas. Tão intensas que, do primeiro encontro até irem morar juntos foram apenas oito meses. Se ela tivesse considerado que até uma criança nascida de oito meses é prematura, talvez pudesse ter esperado um pouco mais...

Mas, por favor, sem julgamentos. O que importa é entender o que esse casal viveu, para que você aprenda algo que torne suas relações mais ricas e duradouras. Vamos ouvir um fragmento da fala de Amélie em sua sessão de terapia em meu consultório:

"Por que não iria morar com ele? A gente sentia que éramos tão parecidos, tão iguais em tudo, a sintonia era perfeita... Na verdade, eu sentia que éramos almas gêmeas! Por isso, não entendo o que está acontecendo. Por que, depois que a gente passou a morar juntos, comecei a perceber que não éramos tão iguais assim?". Ela pegou um lenço de papel, enxugou as lágrimas que não conseguia conter e prosseguiu entre soluços: "Na verdade, a gente é diferente pra caramba! Eu sou sempre tão antenada, por que não vi isso antes?".

Jean nunca se preocupava em deixar as coisas muito arrumadas, enquanto Amélie adorava quando a casa ficava tipo capa de revista de decoração. Ela também havia se dado conta de que aquele jeitinho "largado" como Jean se vestia, e que antes era fofo, tinha se transformado em algo extremamente irritante quando passaram a dormir e acordar juntos todos os dias. Se Amélie adorava receber pessoas em casa, Jean preferia que eles encontrassem os amigos em bares ou restaurantes. Amélie tinha sono leve, Jean roncava alto... Se eu fosse continuar, a lista de diferenças seria gigantesca, mas acredito que já deu para vocês sentirem o tamanho do drama.

Com tantas diferenças, as coisas só poderiam ir por água abaixo, certo? *Não, errado!* As diferenças sempre vão existir nos relacionamentos e precisamos aprender a conviver com isso, negociando e contornando cada uma delas. Portanto, se você for se separar porque o outro é diferente de você, vou logo lhe dar um conselho: nem comece a relação. Ninguém vive com um espelho.

Então, o que afinal de contas estava dando errado? Por que o sonho do relacionamento "propaganda de margarina" estava derretendo? A resposta está, em parte, nessa frase de Amélie: "A gente se ama, disso eu não tenho dúvidas, mas muitas vezes tenho a estranha sensação de que Jean não é Jean; é outra pessoa".

E era exatamente esse o nó da questão: Amélie havia ido viver com uma fantasia. Em vez de olhar para Jean e vê-lo tal como ele era de fato, ela pegou o homem que a atraía e o utilizou como uma tela em branco, pintando-o com as cores do desejo dela. Por isso, ao irem morar juntos, Jean parecia-lhe outra pessoa; porque ela finalmente o via como ele era de verdade. Agora me responda: quantas vezes você já forçou a barra, colando, no outro, virtudes, jeitos ou atitudes que você gostaria que o outro tivesse, mas que lá no fundo você sabe que não tem?

Quando estamos dispostos a nos relacionar com alguém, é preciso ter maturidade para compreender que o outro tem coisas de que gostamos muito, mas que haverá uma porção de pontos de desencontro. Insistir em que o outro tape meus buracos emocionais, colando nele minhas fantasias infantis à la "propaganda de margarina", em que tudo é feliz, perfeito, limpo, organizado e bom, é uma das grandes tragédias dos relacionamentos. Isso só torna as pessoas incapazes de se relacionarem verdadeira e profundamente entre si. O segredo não está em querer que o outro preencha o meu vazio, mas que ele me dê a certeza vitalícia de que não estou sozinho na minha condição humana, que é naturalmente tão carente e cheia de desamparos.

Com muito tato e muita conversa, Amélie acabou compreendendo que jamais havia amado Jean e — vejam só! — foi exatamente ao compreender isso que ela finalmente conseguiu começar a amá-lo e a permitir que ele a visse tal como ela era de fato. Porque não é só o outro que pintamos com as cores do nosso desejo; nós também, de forma inconsciente, nos fantasiamos e raramente mostramos nossos anseios, medos ou quaisquer outras características que julgamos como pontos fracos.

Quase sempre, achamos que, se o outro descobrir o que de verdade pensamos, ou se ao menos suspeitar dos nossos anseios, desejos e fraquezas secretas, certamente nos acharia ridículos e nunca nos amaria. O medo do que o outro dirá ou pensará a nosso respeito é, sem dúvida, algo que nos sequestra de nós mesmos, que nos impede de sermos genuínos em nossas relações.

Honestidade

Se a relação de Mike e Lucy, e de Jean e Amélie, tem algo a nos ensinar, é que eles, por meio da construção de uma relação *honesta*, encontraram o caminho que evitou que se perdessem um do outro. E quando falo em relação honesta, quero dizer: um espaço de confiança mútua na qual cada um pode ser e expressar sua verdadeira essência, seus medos, desejos, gostos e desgostos.

Quando o casal consegue se libertar de padrões, encontrar seu próprio jeito e conversar sobre as diretrizes que ambos escolheram para nortear a relação, o resultado final pode ser algo como se o relacionamento tivesse dado um giro de 180 graus — e, sim, pode soar estranho para os outros ou para a sociedade o jeito de vocês viverem ou construírem a relação, mas o que importa é que possam ser vocês mesmos. Afinal, ainda que os outros olhem torto, o que está em jogo aqui é algo que todo mundo quer, mas poucos conseguem: a felicidade no amor.

Por onde começar?

Agora que você compreendeu que é a maior furada essa coisa de se prender (consciente ou inconscientemente) ao modelo de relacionamento "propaganda de margarina", e que cada casal precisa encontrar o seu modo de viver, de se formar, de se expressar, de se comunicar e de ficar junto, vamos voltar um pouquinho no tempo para questionar outra coisa bem importante: você consegue começar um relacionamento ou sabe como fazê-lo?

Antes que você diga que a minha pergunta é descabida, permita que eu lhe conte um segredinho: além de estarem equivocadas sobre como manter um relacionamento de forma saudável, muitas pessoas têm cada vez mais dificuldade em começar um relacionamento. A epidemia de solidão está tão grande que o Reino Unido decidiu criar um Ministério da Solidão, encarregado de atuar junto com outros órgãos do governo para enfrentar esse problema. É claro que, nesse caso, se está falando da solidão como uma sensação de estar desconectado do mundo, de não ser compreendido por ninguém, assim como da falta de relações mais intensas e significativas com outros seres humanos — coisas de que a gente precisa se quiser manter a saúde mental em ordem, não é?

Mas nessa solidão global também estão aqueles que nunca (ou raramente) conseguem — ou sabem — iniciar um relacionamento afetivo/amoroso. E olha que o número de pessoas nessa situação não é pequeno. Então onde está o erro? No que essas pessoas estão falhando?

O caso é que muita gente não se dá conta de que vive presa ao mito de que existe no mundo uma pessoa (e apenas uma) certa para amar, e que precisa encontrá-la para ser feliz. Essa mensagem está no nosso inconsciente coletivo, e materializada nos contos de fadas e histórias de amor que escutamos desde a infância, e isso atrapalha demais saber/conseguir iniciar um relacionamento amoroso.

Mas sabe por que muitas pessoas acreditam que existe um "par perfeito" que iria completá-las? Porque essa pessoa já existiu, e está no nosso passado, quando ainda éramos um bebê. Tempo em que tínhamos alguém que nos alimentava, amava, acalentava e fazia todas as nossas cólicas e sofrimentos passarem. Isso mesmo: eu estou falando da sua mãe ou de quem quer que tenha cuidado de você, quando você ainda estava começando a ser gente. Esse amor perfeito da infância torna-se, sem que você perceba, a certeza de que existe no mundo um homem ou uma mulher que vai aparecer para dar um fim à sensação de que você é incompleto ou incompleta e acabar de vez com a solidão.

Assim, quando sai para vida procurando esse par perfeito e idealizado, você não percebe que essa busca na verdade está falando de uma imagem inconsciente que carrega de quem quer que tenha cuidado de você, no início da sua vida. E aí, acaba sentindo sempre uma forte atração por pessoas que, de algum modo que você nem percebe, lhe fazem lembrar alguma coisa do seu tempo de bebê (como o cheiro da pele, as características físicas, o modo de se comportar, o tom de voz, a temperatura, o temperamento...). Por isso, a ideia de que existe uma alma gêmea aguardando você em algum lugar do planeta é um grande engano da humanidade, que só atrapalha a vida amorosa.

É preciso aprender a lidar com o fato de que a relação com a pessoa ideal não vai chegar pronta. Alma gêmea não se encontra, precisa ser construída! Ou seja: depois que a gente cresce, a pessoa *absoluta* simplesmente não existe mais.

Ao descobrir que as relações não nascem prontas, você vai finalmente aprender a começar um relacionamento. Essa construção se inicia quando encontramos alguém com quem temos boas afinidades, e a partir daí um se reinventa para o outro; porque na convivência ambos se remodelam e se transformam. Por isso é que é possível, ao longo da vida, encontrarmos várias pessoas certas, feitas, aliás, com temperamentos, cores, formas e gostos bem diferentes.

Aprendendo a *ser*, no relacionamento

▶ **Seja você!**

O conselho de ser você mesmo ou você mesma em uma relação é fácil de dar, mas bem difícil de seguir na vida prática. Por quê? Porque vivemos em sociedade, temos família, amigos, colegas de trabalho e, desde que nascemos, somos adestrados por uma palavra que nos paralisa e ao mesmo tempo nos molda: *não*.

Não pode, não pegue, não coloque na boca, não faça, não suba, não toque no seu corpo, não coma assim, não goste de tal coisa, não fale de tal forma... Não demora muito e os nãos que vinham de fora passam a vir de dentro; como se existisse em você uma multidão vigilante e pronta para acusar sempre que você pensa, sente ou (sobretudo) se comporta de uma forma diferente do que faz a maioria. E aí vamos deixando de saber o que sentimos, pensamos ou somos de fato.

E isso, para os relacionamentos, é um desastre! Porque vai refletir sempre de um jeito muito negativo: inconscientemente, em cada relacionamento que tentar estabelecer, você vai achar que, para amar, vai ser sempre necessário que fique escondido (ou escondida) da outra pessoa e de você. Mas não se iluda: mesmo em nome da sociedade, da família, da religião e dos costumes ensinados, você paga um preço alto para se perder de sua essência — e, de quebra, ainda vai pedir o troco. E, aí, cria-se uma guerra silenciosa, com um único objetivo: "Eu nunca fui como quis, e também nunca fiz o que gostaria; então, vou cobrar, ainda que inconscientemente, o mesmo de você e de todos ao meu redor". Ou seja: se eu nunca fui livre para ser quem verdadeiramente sou, você também vai pagar na mesma moeda. É isso que está por trás da feliz relação do tipo "propaganda de margarina".

Por tudo isso, siga essa dica: renasça na relação sendo você! Viva com o outro, de um jeito mais inteiro e *solidário* — e não solitário (porque solidão a dois não está com nada!). Cultive um relacionamento em que os dois sejam capazes de falar sobre as verdades silenciadas que existem aos montes dentro de cada um, para fundar — ao menos com a pessoa que você escolheu para amar — um casal de dissidentes; de pessoas que são autênticas nos seus desejos e que permitem que o outro também assim seja, em toda sua plenitude e bem longe das mordaças sociais. Sem culpas, sem medos, sem disfarces!

▶ Seja afeto!

Tem gente que confunde as coisas e acha que, quando se diz "seja você", significa também "seja uma pessoa egoísta ou seca". Não é nada disso. Administrar a sua relação fugindo do formato plastificado também é distribuir ternura. Seja afeto nos pequenos gestos: usar um tom de voz verdadeiramente manso e acolhedor, e fazer sempre uma cara receptiva quando olha para a outra pessoa (sem julgamentos) são bons exemplos do que estou querendo dizer. Nós nos sentimos muito atraídos por quem se mostra afetivo conosco. É prazeroso estar ligado a alguém que você sente que lhe quer bem do jeito que você é, sem máscaras — e que não vai abandonar você por isso.

Mas tenha atenção a um detalhe: você não é a mamãe, nem o papai, nem o psicólogo de quem você ama. Digo isso porque algumas pessoas, às vezes sem perceberem, têm dificuldades para dar e receber afeto de uma forma saudável porque lá atrás, na infância, viveram conflitos e guardaram feridas que nunca cicatrizaram; feridas ligadas à rejeição, ao abandono, a humilhações, a traições experienciadas ou a outras injustiças. O resultado? Ficam procurando nos relacionamentos, depois de adultas, uma forma de sarar esse passado infantil machucado. Não crie — nem deixe o outro criar — a expectativa de ver suas lacunas afetivas preenchidas por quem você ama. As feridas do passado do outro não são responsabilidade sua, nem vice-versa. E, por mais que amemos e sejamos amados, o afeto do outro nunca servirá como curativo para os machucados que não dizem respeito às relações do presente.

▶ **Seja ouvinte!**

Uma das grandes reclamações que recebo no consultório, tanto de homens quanto de mulheres, é que, depois de dividirem a vida por algum tempo, eles se sentem cada vez menos escutados por seus parceiros. A consequência disso é o silêncio: queixas, medos, sonhos, projetos, desejos... tudo começa a deixar de ser falado, porque ou a pessoa sente que a resposta será um julgamento, ou, na melhor das hipóteses, sabe que vai ser como se entrasse por um ouvido e saísse pelo outro. No final, ficam dois seres calados numa mesma casa, numa mesma mesa de restaurante, numa mesma vida... Aí, vão se agarrando a suas próprias redes sociais (terreno fácil para acharem que estão se comunicando com outras pessoas) e ficam muito fechados para quem está logo ali, do lado na cama. Treine a empatia escutando o que o seu amor tem para dizer. E tente fazer isso se colocando na pele dele: sem avaliar, sem querer dar conselhos ou fornecer soluções para o que o outro está dizendo (porque, normalmente, quando a gente tenta aconselhar, acaba criticando o jeito como a pessoa resolveu a própria vida).

E lembre-se: a ideia é ser você e ajudar o outro a viver a própria essência, e não repetir aqueles padrões que lhe ensinaram que eram certos ou errados. A sua emoção ao receber o que a outra pessoa está falando vale muito mais que qualquer tentativa de solucionar a história que esteja sendo falada. Até porque o que a gente quer de quem a gente ama é uma coisa só: compreensão. Eu tenho certeza de que, se você fizer isso, seu par vai se sentir profundamente surpreendido e aquecido, e vocês não verão mais o ato de amar como uma armadilha, nem como uma ilha de imenso mar!

▶ Seja surpresa!

Uma boa forma de ser surpresa na sua relação é dando presentes à outra pessoa. Mas tenha calma e segure seu espírito consumista, pois não estou falando em comprar nada, muito menos em dar presente em datas como: aniversário, Natal, ou qualquer outra festa. Não precisa gastar dinheiro comprando coisa alguma. Presentear o outro é igual a dividir, a compartilhar com esse outro. Estou falando de presentes que fazem você vivo ou viva na alma da outra pessoa, que mostram sua presença! Pode ser um bilhete de bom dia, se você saiu antes de ela acordar, aquela flor que você pegou na entrada do condomínio quando chegou em casa, ou até a foto do sanduíche que você, por não ter tido tempo para almoçar, está comendo de pé na lanchonete. Mas aí você manda a foto e conta que acharia muito mais gostoso se estivesse comendo acompanhado. A relação não fica mais leve e saborosa com um tempero assim? Aposto que sua cabeça agora deve estar fervilhando de ideias diferentes para surpreender seu amor. Reinvente sua maneira de cuidar da outra pessoa e de surpreendê-la.

. . .

> Agora a gente vai descobrir sobre como continuar construindo (e mantendo) a sua vida afetiva saudável e feliz dentro de um relacionamento. Eu espero você lá no próximo capítulo para a gente continuar esse papo!

NOSSA, A GENTE PARECE UM SÓ!

Você diz não saber
O que houve de errado
E o meu erro foi crer
Que estar ao seu lado bastaria
Ah, meu Deus! Era tudo que eu queria
Eu dizia o seu nome
Não me abandone jamais

HERBERT VIANNA, "MEU ERRO"

NÓS somos seres que não pertencem a nada. Nem a ninguém. Concorda?

Bem... se eu fosse você, não concordaria tão rapidamente assim com essa afirmação. A verdade é que não somos tão livres quanto a gente gostaria. E isso começa muito cedo, bem antes que a gente possa se dar conta.

Pare para pensar: como você entrou neste mundo? Sim, você já chegou pertencendo ao corpo da sua mãe. E, quando finalmente nasceu e deu o primeiro berro, o médico disse se você era menino ou menina. Ou seja, você mal teve tempo de respirar e já está pertencendo a um gênero. Depois, você vai pertencer a uma família, a um país, a uma raça, a uma religião, a uma cultura... Às vezes, até o time de futebol ao qual seu coração deverá pertencer já vai estar determinado pelo uniforme tamanho bebê, com as cores do time do seu pai, pregado na porta do quarto na maternidade. É ou não é assim? Bom, se isso é justo ou injusto, quer tenhamos escolhido ou não, a gente cresce aprendendo como é que a gente pertence ao mundo.

Os mais puristas — para não dizer implicantes — provavelmente vão pensar: "Isso não tem nada a ver com pertencer; tem a ver com fazer parte". Olha só, quando estou usando a palavra pertencer, não é no sentido de *"ser propriedade de..."*, mas sim de *"estar misturado com"*: uma cultura, uma família, um tipo de visão política, essas coisas. São informações que vão, pouco a pouco, colando na construção da sua identidade.

"Tá, beleza, mas se isso faz parte da existência de todos nós, o que o fato de saber disso vai melhorar as minhas relações amorosas?". Vamos voltar novamente ao meu consultório. Quem está no meu divã, desta vez, é uma paciente que chamaremos de Beatriz. Uma mulher próxima de chegar aos 35 anos, servidora pública federal, que ocupa um importante cargo com excelente salário e está prestes a comemorar cinco anos de casada. O marido, apenas um ano mais velho que ela, é um empreendedor bem-sucedido que não abre mão de um bom churrasco com os amigos em casa, no fim de semana. Conheceram-se numa reunião regada a vinhos e com muitos queijos, no apartamento de amigos que tinham em comum.

Falando nisso, pausa para um dado curioso: Beatriz segue uma estatística feita pela Universidade do Texas que revelou que em 68% dos relacionamentos sérios, as pessoas foram apresentadas por alguém conhecido, e que cerca de 60% dos romances surgem em lugares de convivência mais "propícios" para criar afinidades, como no ambiente de trabalho, escola/universidade, ou mesmo numa festa particular. Já o pessoal que não abre mão da balada ficou lá atrás: só 10% dos relacionamentos que começaram em bares, boates ou festas do gênero evoluíram para algo mais sério. *C'est la vie.*

Vamos voltar para o divã. Beatriz continua nele. A vida dela parece bacana, não é? Mas aí ela chega ao consultório com uma queixa que não parece fazer sentido diante de tanta coisa legal que já conquistou: "Não sei o que está acontecendo comigo. Vivo com uma irritabilidade, uma falta de paciência que não passa. Às vezes, eu me sinto tão chata que, se tivesse um jeito, ficava longe de mim mesma por um bom tempo". Ué, o que será que está acontecendo com ela?

Vamos continuar escutando: "Também não entendo como pude mudar tanto; eu sempre fui uma mulher alegre e decidida. Mas hoje, quando vou a um restaurante, não consigo nem escolher sozinha o que quero comer. E não consigo perceber nada que justifique eu me sentir assim, tão mal-humorada, tão azeda e indecisa, sabe? Porque eu olho para minha vida e penso: 'Meu Deus, minha vida é tão boa, eu e meu marido não temos problema nenhum... Por que eu me sinto assim? O que há de errado comigo?'".

A pessoa se esforça, "tem tudo" na vida, mas vive irritada, indecisa e azeda? "Ela não merece a vida que conquistou, queria eu estar no lugar dela", você pode estar imaginando.

O que há de errado?

Diferentemente de quem pensou que ela está reclamando de barriga cheia e que não merece a vida que tem, eu, mesmo com tantos anos de clínica, sempre acho estranho quando alguém me procura sofrendo, mas ao mesmo tempo diz que "tem uma vida perfeita e sem problema algum". O meu estranhamento é pelo fato de que a maioria das pessoas só considera que alguma coisa não vai bem na própria vida se existir um motivo como falta de amor, falta de dinheiro, traição ou qualquer outro tipo de tragédia. Ou seja, sempre tem de ser algum fato externo à própria pessoa. E, quando não encontram essa tal "tragédia", pensam que a causa é obrigatoriamente alguma desordem na química do cérebro. As pessoas raramente consideram a ideia de que a fonte do problema esteja ligada à subjetividade psíquica delas, a conflitos do indivíduo com ele mesmo.

Com Beatriz, a história não era muito diferente. Seguindo o conselho de uma amiga, ela concordou em procurar um psicólogo e veio me ver. Porque, apesar de tomar alguns remédios para dormir e outros tantos para controlar o humor, ela ainda não se sentia bem e estava decidida a tentar qualquer coisa que a ajudasse a reencontrar a pessoa feliz e decidida que havia sido.

Conforme as sessões iam seguindo, notei que Beatriz repetia um padrão de fala que está longe de ser raro: toda vez que citava alguma situação da própria vida, ela sempre incluía o marido usando o pronome pessoal "nós". Raramente eu a escutava dizer "eu". Era sempre: "Nós adoramos receber os amigos aos sábados", "Nós sempre vamos à academia na mesma hora", "Nós compartilhamos as listas do Spotify", "Ver séries é a nossa cara", "Nós adoramos ir à Europa, mas não gostamos dos Estados Unidos"...

A-há! Beatriz não percebia o próprio equívoco; eram tantos nós, que, em vez de se colocar ao lado do marido na relação, ela não tinha se dado conta de que estava completamente "misturada" a ele. E é nessa fusão — ou confusão — que nascem muitas crises dentro das pessoas e dos relacionamentos.

Por mais que a gente ame alguém, nunca podemos esquecer que somos indivíduos. E perder o senso de quem somos, mesmo que a gente não entenda num primeiro momento, dói muito e nos deixa desorganizados emocionalmente.

De tanto nos ensinarem que pertencemos a coisas, valores, lugares, gêneros, países e muito mais, a gente acaba aprendendo, também, a ligar o amor à ideia de dois se tornando um. E quando os dois se misturam num relacionamento, a ponto de ninguém saber mais onde um termina e onde o outro começa, isso acaba sendo um troço psicologicamente bem negativo.

Sabe por quê? Porque, quando isso acontece, a vida começa a perder a cor e muitas vezes surge, mesmo que inconscientemente, uma pergunta: "Viver é só isso?". E vem aquela sensação de vazio, a irritabilidade, o ressentimento, a desesperança, a insegurança e tantos outros sentimentos que são bem tóxicos.

> *E o nó da questão é: será que existe vida individual quando se está em um relacionamento?*
>
> Para responder essa pergunta, você precisa entender que todas as relações amorosas passam por pelo menos três etapas. Claro, há casais que vão demorar mais tempo em uma ou em outra etapa, e mesmo as passagens de uma etapa para outra não são necessariamente definitivas: às vezes acontecem momentos de regressão para etapas anteriores, de aceleração para a etapa seguinte ou até mesmo de estagnação. Vamos pensar juntos sobre cada uma dessas etapas.

1 FUSÃO

Hoje em dia, quase todas as relações começam com uma atração intensa, forte, aquela loucura, cheia de paixão ardente. Para os apaixonados, a cada encontro parece que os dois descobrem cada vez mais pontos em comum e fica mais claro ainda para eles que foram feitos um para o outro.

É nessa etapa da fusão que acontece a formação da relação; porque é nela que o casal cria a cumplicidade, que vai ser a base para todo o resto do relacionamento. E é mesmo importante que você encontre coisas em comum com a outra pessoa. Esse é um dos raros momentos da vida em que você vai se sentir maior que você mesmo (ou você mesma) e descobrir aspectos da vida que por si só você nunca teria percebido ou tinha medo de descobrir. Na etapa da fusão, você se sente tendo asas e se descobre capaz de coisas que nunca imaginou que ia poder viver antes. Pode aproveitar à vontade todas as sensações desse início de relacionamento. É uma delícia!

Agora, rola aí um alerta. Durante essa etapa de idealização, a identidade de um se mistura por vezes com a do outro a tal ponto que algumas pessoas começam a se dar demais. E, às vezes, até se esquecem de si mesmas.

O descuido é tão grande que tem quem chegue mesmo a transformar os defeitos da pessoa em qualidades. Vou dar um exemplo: uma pessoa que é muito ciumenta e possessiva. Você pode muito bem achar que ela é alguém que ama demais e que é excessivamente cuidadosa, e que isso é muito fofo — só que não, né?

É a fase do "1+1=1". Ou seja, só existe o *nós* na relação e, embora essa seja uma fase natural da construção dos relacionamentos, foi exatamente nela que Beatriz ficou fixada, acabando por "perder" a própria identidade.

O esperado é que depois de algum tempo, essa etapa comece a se tornar um pouco sufocante e uma destas duas coisas aconteça: ou vocês vão romper a relação ou vão evoluir para etapa seguinte. Mas, antes de falarmos da próxima etapa, me responda: será que você não está preso ou presa na ideia de que "1+1=1"?

② DIFERENCIAÇÃO

Depois de passar pela fusão imaginária, vocês vão encarar o encontro com a realidade e com o cotidiano. É a tão temida *rotina*. E é inevitável: ela sempre vai trazer certa dose de decepção.

É a época em que você começa a dizer, a pensar ou a ouvir frases do tipo: "Quando a gente se conheceu, você não era assim" (na verdade você era sim; a outra pessoa é que estava cega por causa da idealização). Ou seja, o casal vai começar a descobrir que existem as diferenças. E um vai começar a ver a verdadeira personalidade do outro. Todas as expectativas e fantasias que você tinha a respeito do seu amor agora são colocadas à prova pela realidade da intimidade. E isso é ruim? Claro que não.

Essa etapa é fundamental na relação porque vai permitir que você retome o contato com sua essência, com seus interesses e com seus objetivos de vida. É nesse momento que os dois vão se permitir serem quem de fato são, sem negarem a própria personalidade. Aqui, a matemática do amor já mudou: essa etapa é marcada pela ideia de "1+1=2". Ou seja: os dois entendem que não são como uma só pessoa. Mas, independentemente disso, ambos continuam a admirar um ao outro, e permanece o desejo de continuarem juntos, apesar das diferenças. É como unir duas peças de um quebra-cabeça: perceba que elas são diferentes, mas sempre têm um ponto em comum onde acontece o encaixe perfeito.

Infelizmente, tenho uma notícia triste para lhe dar: você sabia que muitas relações acabam antes de passarem dessa etapa? É fato! E sabe por quê? Porque é muito difícil aceitar viver uma relação que não seja sinônimo de unidade, que não reforce a ideia de que um "pertence ao outro".

Bom, a culpa é novamente da nossa sociedade, que, de um modo geral, nos ensinou a pensar no amor de um jeito até um pouco irreal, com o romantismo dos contos de fadas, o que faz muita gente acreditar que a paixão ou o "misturar-se" da primeira etapa do relacionamento é a única e verdadeira definição de amor, e que, se não for assim, é porque o amor acabou. Para, bebê! Vamos expandir a mente e entender que isso está muito longe de ser uma verdade.

Ao longo das sessões seguintes, Beatriz passou a perceber algo que para muita gente é óbvio, mas que ela não via: o maridão ideal e tão amado, de perfeito não tinha nada. Ele era cheio de defeitos e de hábitos de que ela não gostava, mas, como estava tão misturada a ele, ela simplesmente não percebia nada disso. Beatriz, só assim, finalmente começou a se despedir da fase da fusão para entrar na fase da diferenciação. E adivinhem só: ela começou a se sentir bem menos irritada e mais lúcida na hora de decidir o que queria ou aquilo de que gostava.

Esse movimento não foi fácil: ao mesmo tempo que ele era deliciosamente libertador, havia nela o medo de perder o homem e a relação que ela tanto amava. Na verdade, ela pensava que se diferenciar geraria desavenças, que ele iria achar que ela estava mudando muito e que não conseguiria mais amar essa "nova-velha" Beatriz que ela vinha reencontrando. Mas, com o passar dos meses, ela percebeu que era exatamente o contrário: quanto mais Beatriz se diferenciava do marido, mais leve ficava e mais o relacionamento se fortalecia.

Porém essa mudança de fases no relacionamento às vezes não chega ao mesmo tempo para as duas pessoas. O marido de Beatriz já havia se diferenciado dela e, por essa razão, conseguia ser compreensivo e paciente. Mas ela não: presa na "fusão" da primeira etapa, ela se sentia irritada, confusa e cada vez mais insegura com tudo na vida.

É hora de você aprender que dá para amar o outro, mas que você precisa viver seus próprios prazeres, ter seu lazer, ter suas próprias ambições profissionais...

E aí, para administrar essa etapa do relacionamento, você precisa entender que cada um pode e deve ter sua própria rotina, numa boa. O casal também deve lutar para que uma comunicação aberta, clara e eficaz seja mantida. A comunicação franca e direta é a ponte que vai continuar unindo vocês dois.

③ HARMONIZAÇÃO

Nessa nova etapa, o amor não é mais entendido como "1+1=1", como acontecia na etapa da fusão, nem "1+1=2", como acontecia na etapa da diferenciação. A etapa da harmonia traz a compreensão de que "1+1=3", ou seja: *você, eu* e *nossa relação*.

A relação passa a ser um terceiro elemento que permite que você seja você mesmo (ou você mesma), sem necessariamente se perder da outra pessoa nem na outra pessoa. E esse terceiro elemento (a relação) vai ser mantido com os projetos e os sonhos em comum que darão ao amor de vocês uma boa dinâmica para fazê-lo durar e prosperar.

É a etapa em que o amor fica mais tranquilo, mais sereno, e em que vocês vão conviver bem com as diferenças do casal, além de estarem mais fortes para suportar os problemas que aparecerem, procurando caminhos para ultrapassá-los.

Embora nessa fase o casal fique mais sereno, vale lembrar que ainda assim existem pontos dos quais não se pode descuidar. Um deles é justamente tentar sair de vez em quando da zona de conforto que essa harmonia acaba criando. Por isso, sempre criem novos projetos e objetivos — juntos e separados.

É por essa falta de atenção com a própria identidade, ilustrada pela história de Beatriz — com seu excesso de "*nós*" e falta de "*eu*" —, que diversas pessoas, depois de um rompimento, têm muito medo de se relacionar novamente. Teve até um levantamento feito nos Estados Unidos, pelo Personality and Social Psychology Bulletin, em 2010, que ilustra bem isso: eles ouviram durante semanas depoimentos de pessoas que haviam passado por términos recentes. Os pesquisadores descobriram que, em sua maior parte, as pessoas (principalmente as mais jovens) diziam se sentir muito perdidas depois do fim de um relacionamento — e o maior motivo era não saber como fazer para seguir em frente, como se existisse uma dependência química do outro.

Ou seja, quando os relacionamentos terminam, é comum que uma pessoa que não cuidou da própria identidade e que ficou no lugar de "ter o outro e ser do outro" se sinta perdida sobre que rumo vai dar à própria vida (que finalmente voltou a ser dela). Se você vem passando por isso e está se sentindo assim, concentre-se mais que nunca nesse reencontro com sua essência, com sua identidade.

Do que são feitas as pessoas que se "misturam"?

Vamos pensar juntos: se essa coisa de "se misturar" faz parte das etapas de um relacionamento, por que há pessoas que ficam "presas" nessa fase e não conseguem se libertar dessa mistura? Porque elas ainda estão afetivamente imaturas e, por isso, são emocionalmente dependentes. Ou seja: é bem mais "confortável" para algumas pessoas ficarem misturadas permanentemente com alguém que apenas amadurecer.

É importante que você não ache que uma pessoa que tenha imaturidade afetiva seja assim por falta de inteligência; até porque você encontra pessoas brilhantes em termos intelectuais, que se destacam no meio profissional e social, mas que ao mesmo tempo são profundamente imaturas na forma de viver e no jeito que expressam seu afeto.

Para que você possa refletir com mais facilidade sobre essas pessoas que vivem dependentes e "misturadas" ao outro quando se apaixonam, acompanhe comigo esse trecho da sessão de um paciente que atendi tempos atrás. Luiz, um jovem de 26 anos, atlético e com uma "presença" invejável. Mas, como beleza não põe mesa, ele acabou vindo parar em meu consultório porque estava atravessando um momento muito difícil em sua vida emocional.

> *Considero-me uma pessoa inteligente. Estudei bastante a vida toda. Eu me expresso bem, tenho conhecimento sobre vários assuntos e habilidades como músico, pois sou pianista. Mas sou um fracasso na vida amorosa. Parece que nada do que faço*

cativa as garotas. Nos relacionamentos, busco ser o homem ideal: certinho, fiel, romântico, dedicado, engraçado, intenso e apaixonado. Não sei viver longe de quem amo e me dedico ao máximo. Mas, em vez de atrair as mulheres, sinto que isso as afasta. Muitas chegam até a mentir para mim: me iludem e me dispensam de graça, e não me dão o carinho e o retorno que mereço ter. Às vezes, algumas me jogam na friendzone, e não é esse o lugar em que acho que mereço estar. E a cada vez que vejo casais felizes, e principalmente aquelas mulheres com homens cafajestes que não se dedicam nem um terço do que eu me dedico quando estou com alguém, só aumenta mais minha revolta e minha indignação por não conseguir encontrar minha cara-metade. Eu preciso ser feliz e completo ao lado de alguém que eu ame e que me ame na mesma medida.

Não sei se ao fazer a leitura você consegue perceber que Luiz, apesar de estar sofrendo, também está com muita raiva. E essa raiva em si mesma seria normal, já que ele está frustrado com a situação. A questão está na forma como essa raiva aparece e o jeito imaturo com que ele age diante dessa situação. Se a gente observar com atenção, na cabeça desse rapaz ele é maravilhoso, um homem ideal, um virtuoso! E, na visão dele, as mulheres é que são problemáticas (porque só querem homens cafajestes) ou cruéis porque: "mentem para mim... me iludem e me dispensam gratuitamente e não me dão o carinho e o retorno que mereço ter". Sim, a pessoa afetivamente imatura é sempre exigente demais com todo mundo, e sua tendência é de o tempo todo se sentir injustiçada, porque o mundo deveria girar em torno das necessidades dela.

Observe que, mesmo coisas positivas, como ser colocado na *friend-zone* (que eu saiba, alguém me querer como amigo mesmo que não queira namorar comigo é uma coisa positiva), são vistas por ele como algo injusto, só porque a outra pessoa não está atendendo ao que ele esperava. Luiz, sem perceber a própria carência e imaturidade, estava agindo como uma criança que espera ter todos os desejos satisfeitos pela mãe.

Eu sabia que, no caso de Luiz, seria preciso ajudá-lo a crescer e a renunciar a essa ilusão de que ele encontraria uma pessoa para se fundir, se misturar. Porque só existe um momento da vida em que você, de fato, se mistura com outra pessoa: quando você está na barriga da sua mãe, sendo gerado. Depois que botou a carinha no sol, acabou! Essa relação misturada com mamãe não existe mais e não vai ser encontrada em nenhuma outra ligação. Ao ser recusado pelas mulheres que ele queria, Luiz precisava parar de experimentar isso de forma tão dolorosa.

Mais que isso, Luiz precisava aprender a lidar com a própria frustração. Ele não poderia cobrar nem esperar das moças que ainda estava começando a conhecer o que elas não poderiam ou não estavam a fim de dar — ou mesmo não tinham para dar. Era certamente isso que estava assustando as mulheres e que, no final das contas, fazia com que elas só o quisessem como amigo. Afinal, pense comigo, se você saísse para um encontro com alguém e essa pessoa lhe passasse muita expectativa, o que você faria? Sairia correndo ou mandaria pastar, não é verdade?

Uma relação em que qualquer uma das partes (ou ambas) não se sente livre ou perde a identidade não é uma relação de amor. É uma relação criada apenas para satisfazer uma necessidade, uma relação cheia de imaturidade afetiva e de dependência emocional. E isso ninguém merece! *Querer* dividir sua vida com alguém que você ama é bem diferente de *precisar*.

Depois de reconhecer que tinha um problema de dependência afetiva, Luiz conseguiu, pouco a pouco, se dar conta de que precisava parar de responsabilizar os outros por sua felicidade (ou infelicidade). Nas sessões que se sucederam, Luiz teve de aprender que uma relação amorosa não serviria para tapar nenhum buraco afetivo dentro dele. Que, mesmo que encontrasse alguém que fizesse o impossível para vê-lo feliz, ele iria continuar insatisfeito, inseguro e pouco amado, porque esses sentimentos tinham a ver com a história de vida dele, e não com o que qualquer pessoa pudesse lhe dar numa relação amorosa.

Uma das coisas que fizemos no consultório foi trabalhar a autoestima. Ele se gabava de ser uma pessoa inteligente, cheia de qualidades, bonito... mas secretamente não se sentia nada disso. Na verdade, ele se sentia o último da fila e já quase perdendo a vaga. Certa vez, eu lhe fiz uma pergunta: "Luiz, se você fosse uma moça e encontrasse com você mesmo na rua, você se namoraria?". Luiz ficou perplexo, seus olhos se encheram de lágrimas e ele respondeu com um fio de voz: "Não". Desse dia em diante, ele conseguiu começar a falar da própria história, a revisitar na terapia sua relação com o pai, que o humilhava desde sempre, e com a mãe, eternamente depressiva e que nunca o protegia das crueldades paternas. Foi mesmo um mergulho corajoso e difícil esse que ele começou a fazer dentro de si mesmo; mas foi, também, quando ele começou a fazer as pazes consigo mesmo e a curar as feridas do menino machucado que ele carregava.

Meses se passaram, os trabalhos continuaram, e Luiz foi percebendo que as mulheres começavam a mudar o comportamento com ele. Elas passaram a achá-lo interessante e queriam conversar com ele, tinham o desejo de conhecê-lo melhor. Luiz se deu conta de que, mais maduro, descobrira uma coisa: que a pessoa mais bacana que ele poderia encontrar para viver era ele mesmo! Sem medo de ser rejeitado, ele finalmente tinha o desejo de encontrar alguém tão maduro quanto ele para apenas viverem com leveza cada uma das fases de um bom relacionamento.

Espero que você tenha entendido do que são feitas as pessoas que se "misturam" e que não conseguem ultrapassar essa fase. E, se você perceber que é desse tipo de carência que sua alma é feita, já é tempo de aprender a resolver (e satisfazer) a maior parte das suas necessidades sem precisar do outro para salvar você.

Como não se perder de si mesmo em um relacionamento

▶ **Mantenha seu valor**

Trabalhar sua autoestima é fundamental. Crie mais pensamentos bons a seu respeito, perceba que tem limitações, mas também tem conquistas. Quanto menos você se valorizar, mais dificuldades encontrará nas suas relações, porque sempre vai se sentir mais sensível às críticas, à rejeição, a seus próprios erros e ao que quer que os outros pensem ou digam.

Só quando você descobrir seu valor é que vai conseguir ser afetivamente independente, e aí, sim, vai começar a sentir que a sua alegria depende de você e não da sua relação com quem quer que seja. A dependência afetiva não é uma dependência do outro, é a falta de uma boa relação afetiva com você mesmo.

E uma boa forma de fazer isso é cuidando da criança ferida que existe em você. Escute, ninguém nasce com uma autoestima negativa, a gente aprende a não se gostar. É hora de ter uma opinião positiva a seu respeito e de acreditar que merece ser valorizado. Se durante sua infância você não foi suficientemente amado, há uma boa chance de que depois de adulto você continue carregando esses sentimentos.

Como mudar isso? Vou lhe propor um exercício: pegue uma foto de quando você era criança (a foto de que você menos gostar) e cole em algum lugar do seu quarto. Todo dia, quando acordar, olhe a foto e se pergunte: "Como eu posso amar essa criança?". O simples fato de você procurar respostas para essa pergunta fará com que leve a sério a sua criança interna desvalorizada. Assim, fica mais fácil escutar suas necessidades e fazer coisas boas pelo adulto que você é hoje. Garanto que isso diminuirá muito as chances de que você se perca de si mesmo (ou de si mesma) quando estiver em um relacionamento.

▶ Mantenha limites

Elabore uma lista de tudo de que você mais gosta de fazer. Não se esqueça de incluir também as coisas que você sonha e de que não quer abrir mão de maneira alguma. Tendo isso de forma bem clara, tente usar os itens dessa lista como um guia para os limites que estabelecerá para com quem estiver se relacionando com você. Se o outro tiver a intenção de cruzar esse limite, tentando (mesmo que inconscientemente) "apagar" da sua lista itens ou características da sua identidade que você quer preservar, deixe isso bem claro para ele. Tenha em mente que amar alguém não significa se anular por esse alguém. Se sentir que precisa diminuir seu mundo para caber no do outro, é porque esse outro mundo é muito pequeno para você.

Isso vale para os dois; afinal, o outro também tem fronteiras que você não deve cruzar nem tentar mudar. Então, estabeleça um diálogo sobre isso, perguntando a seu amor: quais são as coisas mais importantes para ele; quanto de espaço cada um de vocês vai precisar; qual é a melhor forma de sinalizarem um para o outro que alguém passou do limite. Essa abertura de diálogo é fundamental.

▶ Mantenham *hobbies* separados

É óbvio que, em um relacionamento, a gente se sente muito bem fazendo coisas juntos, até porque isso faz parte de se viver como casal. Mas tem uma coisa à qual você deve sempre dedicar uma parte do seu tempo: são aqueles *hobbies* de que você gosta em particular, e pelos quais seu parceiro ou parceira não se interessa muito. Você deve manter seus próprios interesses, sem sentir um pingo de culpa e equilibrando com as atividades que vocês fazem juntos.

Como a gente conversou neste capítulo, quando o relacionamento chega na fase da diferenciação, a gente descobre que os dois têm personalidades distintas, e por isso é natural que existam coisas que você curte e pelas quais a outra pessoa não vai estar tão interessada assim. Por exemplo: se seu amor gosta de jogar videogames, você até pode querer jogar com ele. Mas vocês não precisam ter o mesmo grau de interesse — afinal, você pode achar que os videogames são uma coisa pouco estimulante.

E se você perceber que seu amor está tentando desencorajar alguma atividade que você curte, fique de olho nesse tipo de comportamento e tente corrigi-lo. Quem ama de verdade apoia as coisas que o outro gosta de fazer, em vez de tentar fazê-las desaparecer da rotina.

▶ Mantenha sua tribo

Não importa se seus amigos chegaram antes ou surgiram durante o relacionamento: eles são pessoas que gostam de você e torcem pela sua felicidade. Lembre-se: seu círculo de amizades é sua tribo, um espaço em que, bem antes de o seu relacionamento começar, você já podia ser do seu jeito e onde as pessoas aceitavam e amavam você por isso! Assim, um dos maiores erros de quem começa um relacionamento é deixar os amigos de lado. Os amigos são muito importantes, porque sempre vai ter algo da sua identidade que só é reforçado quando você está entre eles, e que você geralmente não conseguiria apenas com seu parceiro ou sua parceira.

Você só deve deixar os amigos quando perceber que eles estão fazendo algo que possa ser prejudicial para você — se bem que, com um comportamento assim, a gente nem considera que isso é amizade, não é mesmo?

▶ Mantenha a comunicação

O diálogo é muito importante, sempre! Principalmente quando estamos tratando de conviver com diferenças. Então, é preciso ser claro o tempo todo sobre as coisas que se quer, sente ou pensa. Raciocine sobre o seguinte: no começo dos relacionamentos, vocês são capazes de entrar pela madrugada conversando. E aí é uma delícia se escutarem falando sobre os filmes de que gostam, sobre as viagens que sonham fazer, sobre a vida alheia, e por aí vai.

Uma dica para evitar que a comunicação se perca é: use a criatividade. Vocês podem criar momentos de diálogo na rotina de vocês, por exemplo quando estiverem indo ao supermercado. Ou se convidem para tomar um café depois do trabalho ou, ainda, habituem-se a (mesmo cansados) conversarem sobre vocês antes de dormir (e se ainda não dormem na mesma casa, a internet está aí para quebrar esse galho).

. . .

> Agora que você não vai mais brincar com quem você ama de se misturar e se perder, é hora de a gente conversar sobre... casamento. Então, vamos em frente que eu estou esperando por você no próximo capítulo.

POR TRÁS DO VÉU: OS CASAMENTOS DO PASSADO E OS DE HOJE

Eis o mais profundo segredo que ninguém sabe (aqui está a raiz mais profunda, e o mais íntimo do botão da flor e o céu mais alto de uma árvore chamada Vida, que cresce mais alto do que a alma possa esperar ou a mente possa esconder).
E essa é a maravilha que está mantendo as estrelas em seus lugares:
Trago seu coração (eu o trago comigo, no meu coração).

E. E. CUMMINGS. "I CARRY YOUR HEART WITH ME"

"ENTÃO se casaram e viveram felizes para sempre."

É essa a visão que a gente aprendeu a ter do casamento. Um evento romântico que funda uma união que vai durar eternamente, imortalizada nas fotos que sempre têm como ponto central a noiva e seu vestido branco, muitas vezes inspirado no da princesa Grace Kelly — tido como o mais lembrado de todos os tempos e hoje pertencente ao museu de arte da Filadélfia —, com aquele véu gigantesco de quase 90 metros cobrindo-lhe o rosto e se esparramando pela nave da igreja.

E por que estou fazendo você ter essa visão tão romântica? Porque parece que a maioria das pessoas pensa que o casamento sempre foi assim, desde que o mundo é mundo. Até os filmes de Hollywood, mesmo quando retratam casamentos da Idade Média, seguem mais ou menos esse formato cheio de doçura. Mas a verdade é que, durante muito tempo o casamento não era mais que uma negociação. Mesmo! Poderia tranquilamente ser chamado de uma "modalidade econômica" sobre a qual se apoiava boa parte da economia das sociedades mais antigas; sociedades que não queriam nem ouvir falar nessa conversa "sem sentido" de corações apaixonados. E, claro, não é nenhuma novidade que as mulheres eram sempre as mais prejudicadas; na verdade, durante muito tempo elas foram, por meio do casamento, trocadas como mercadorias que faziam a ligação entre famílias poderosas e garantiam a fusão de terras, fortunas e cargos políticos.

"Ah, isso tudo é coisa muito antiga." Será mesmo? É bom lembrar que, no Brasil, as mulheres só começaram a votar em 1932 (um direito bem básico, não acha?). Podemos trazer as coisas mais para perto; que tal trinta anos para adiante? Em 1963, quando minha mãe estava prestes a casar, ela fez um curso de "como ser uma boa esposa". Quando folheio as páginas escritas à mão por ela, acho engraçado a forma como a nossa sociedade fez com que ela se comportasse. Mas, vamos lá, vou compartilhar uns trechos aqui com você.

> *A harmonia da vida em família é nobre papel que compete à mulher. (...) No ambiente familiar, a mulher estará presente em tudo: na arrumação da casa para que esta seja limpa e agradável quando o marido chegar cansado do trabalho. A mulher também será fundamental na preparação dos alimentos e na educação dos filhos. (...) Também deverá estar arrumada e sorridente para receber o marido e não deverá interrompê-lo enquanto ele fala. (...) É necessário que a mulher deixe os bancos escolares com perfeita compreensão da sua vida futura e do seu lugar na sociedade e no lar.*

Nos anos 60, era assim que uma jovem aspirante a esposa deveria pensar. "E o que isso tem a ver com os casamentos atuais?" De fato, muita coisa mudou no casamento e nas relações amorosas. Hoje em dia, uma mulher pode se apaixonar por quem quiser, casar quando achar que deve e fazer sexo na hora que bem entender.

Se relembro aqui fatos da história, é porque preciso que compreenda que muitos dos problemas enfrentados nos casamentos atualmente encontram suas raízes num passado não muito distante, recheado de valores e formas de agir que a sociedade ainda faz com que a gente carregue em nosso inconsciente.

Por exemplo, não dá para negarmos que muitos homens ainda reproduzem comportamentos e formas de falar como se fossem "donos" de suas companheiras — que o diga Maria da Penha, que precisou ser mutilada até que uma lei de proteção às mulheres, com seu nome, fosse criada (detalhe: em 2006; bem recente, não é mesmo?).

Claro que nem todos os problemas dos casamentos do presente encontrarão eco no passado, mas, se a gente não olhar para as memórias que herdamos da nossa sociedade, vamos ser incapazes de construir um presente mais bacana com quem amamos.

Vamos acompanhar o caso de uma jovem que veio me procurar decidida a pedir o divórcio, e que queria que eu a ajudasse a lidar melhor com esse momento da vida. "Há quanto tempo vocês estão casados?", perguntei. Três anos? Cinco anos? Nada disso. Apenas sete meses. Você deve pensar: "Mas já? Sete meses ainda era para eles estarem vivendo no clima de lua de mel! O que deu tão errado?".

Bom, vamos chamar a paciente de Elisa e seu marido de Ricardo — Ela, com uma mistura de tristeza e irritação, contou-me o seguinte:

> *Eu simplesmente não aguento mais. Amo Ricardo, mas para mim já deu. A gente está começando a vida e moramos em um apartamento pequeno. Nossa convivência sempre foi muito tranquila, somos bem compatíveis, mas com o passar dos meses, percebi algo que me incomodava profundamente: Ricardo vivia deixando as roupas e sapatos dele espalhados pela casa. No começo, eu passei a pedir para ele guardar as coisas, e ele fazia direitinho. Depois, quando eu reclamava, ele dizia que "já, já ia guardar", e acabava que a roupa continuava lá no dia seguinte. Como eu vi que não era solução ficar reclamando, eu mesma passei a recolher as coisas*

> *dele. Só que aí, eu chego cansada do trabalho e só queria encontrar uma casa organizada e aconchegante. Meu Deus... somos só nós dois, o que custava? Eu não me casei para viver brigando, mas também viver em meio a uma bagunça sem fim está me deixando extremamente estressada.*

Sintomas e causas

Talvez você esteja achando Elisa precipitada ao pensar em divórcio por "tão pouco". Mas entenda a queixa dela — e muitas vezes as suas próprias no seu relacionamento — da seguinte forma: quando estamos com febre, a gente quer que ela passe porque é isso que está deixando o corpo mole e dolorido. Mas a febre não é o *problema*, é apenas um sintoma que alerta sobre uma infecção que se instala. Então, no caso de Elisa e Ricardo, deixar roupas e sapatos espalhados pela casa era apenas um *sintoma* de outra coisa que estavam fora do lugar na relação.

O que estava em jogo eram os papéis estabelecidos no casamento. Embora ambos fossem jovens, trabalhassem e tivessem uma visão de mundo em que homens e mulheres são iguais e têm os mesmos direitos, Elisa começou a perceber que, antes de irem morar juntos, Ricardo morava com os pais. E a mãe dele sempre foi uma mulher que cuidava das coisas do filho. Então, ele nunca teve que se preocupar com a arrumação da casa, porque sempre tinha a mãe para guardar as coisas dele e deixar tudo em ordem. Elisa foi percebendo ao longo das sessões que, embora ambos dividissem as tarefas e as contas da casa, sentia como se ele quisesse transferir o comportamento da mãe dele para dentro da dinâmica do casamento. Embora isso jamais tivesse sido conversado, parecia que ele havia estabelecido alguns papéis para ela dentro do casamento, e, para evitar brigas, ela acabou aceitando-os inconscientemente.

Foi algo surpreendente para ela quando se deu conta de que o casamento dos seus pais havia passado por algo semelhante. Elisa lembrou que sua mãe vivia "implicando" com o marido porque ele deixava o chão do banheiro todo molhado e a toalha em cima da cama. E por mais que ela pedisse para que, por favor, ele fosse mais cuidadoso, a situação frequentemente se repetia.

Agora me responda: quantas coisas você pede ao seu marido ou namorado com esse estranho sentimento de estar solicitando um favor? E você, quantas coisas espera que sua esposa ou namorada faça porque é natural que toda mulher goste, queira ou ache divertido fazer?

Por mais que a gente ache que já evoluiu muito na igualdade de direitos entre homens e mulheres, a desigualdade é tão arraigada na nossa sociedade que posso dar um exemplo bem claro: se uma criança adoece, é muito mais simples a mulher pedir dispensa do dia de trabalho para cuidar do filho, porque é mais compreensível que ela vá tomar conta da criança. Se um homem disser que vai precisar faltar ao trabalho porque o filho adoeceu, é bem provável que o primeiro questionamento do chefe ou do RH seja: "E a mãe?", novamente como se o fato de um pai precisar cuidar de um filho fosse para cobrir uma "obrigação" materna.

Automatização dos relacionamentos

Aposto que, se você usar de honestidade, vai perceber que muitas das falhas de comunicação e até mesmo as brigas que acontecem no casamento que você está vivendo são pelo simples motivo de vocês estarem no modo "automático" do é *natural que seja assim*. Só que não é. Foi quebrando a automatização que um dia, durante a terapia, Elisa descobriu uma saída muito prática para o impasse: ela simplesmente parou de guardar as coisas que o marido deixava espalhadas. Dois dias bastaram para que, em uma certa manhã, Ricardo, já atrasado para uma reunião de trabalho, "explodisse" por não encontrar uma determinada camisa de que precisava. Elisa calmamente respondeu: "Suas roupas estão onde você as deixou, Ricardo, espalhadas pela casa". Elisa permitiu que Ricardo fosse vítima da própria bagunça.

Foi uma atitude simples, mas que abriu uma nova perspectiva para esse casal. Ele finalmente conseguiu entender que a vida de casado não era mais a vida na casa da mamãe. A partir de então, assumiu-se uma nova dinâmica tanto no diálogo (não mais brigas), como na flexibilização de papéis no casamento.

É bem provável que as roupas da sua casa estejam nas gavetas. Mas estou certo de que, se você refletir sobre esse exemplo, ele vai se encaixar em diferentes situações no dia a dia do seu relacionamento.

Lembre-se de que a dinâmica do seu casamento não é — e não deve ser — exatamente igual à do casamento de seus pais, seus avós, e nem seus antepassados. Também não compare seu relacionamento aos de outros casais. Na hora de definir as regras do casamento de vocês, façam da forma como vocês dois acreditam que vão ser felizes.

Outros problemas frequentes no casamento

Assim como no caso de Elisa e Ricardo, embora o casamento seja frequentemente considerado como "felizes para sempre", ou "até que a morte os separe", a gente sabe que é comum haver algo para ajustar. A maioria desses ajustes é bem simples e fácil de resolver para alguns casais, mas para outros pode significar o início do caminho que leva ao fim da relação.

Então, vou listar aqui quais são os problemas mais comuns que ouço dos meus pacientes. E nem tudo se liga à forma como eram os casamentos no passado — ainda bem. Entretanto, vou insistir: fique atento para perceber se sua forma de reagir a alguns problemas dos relacionamentos de hoje — ou de senti-los — não acaba tendo a ver com "vocabulários emocionais" que você trouxe do passado. Mas vamos a lista.

① Diferença de idade

Quando você desenha em sua cabeça uma imagem de um "casamento de antigamente", como imagina que era a idade dos noivos? O costume era que por trás do véu da noiva estivesse uma moça mais jovem que o noivo, que em geral era um pouco mais velho — ou bem mais velho. Você há de concordar que uma noiva de trinta anos se casando com um rapaz de vinte não era algo que se visse muito pouco tempo atrás. Mas esse padrão se tornou mais democrático dentro do casamento.

E isso é muito bom! Atualmente, quando a pessoa é mais velha que você, vem aquela sensação de estar se relacionando com alguém mais maduro, que sabe o que quer da vida, mais bem resolvido, experiente... E quando é alguém mais jovem, você pode sentir como se tomasse uma injeção de juventude, parece que você tem mais energia, que o mundo é uma festa. É... Mas nem tudo são flores. Essa flexibilidade no modelo traz também alguns conflitos.

Existe uma pesquisa feita pela Emory University em Atlanta, nos Estados Unidos, que levantou diversos fatores que poderiam estimar o tempo de duração de um casamento. Entre os itens observados, estava a diferença de idade. Os dados revelaram que casais com cinco anos de diferença têm 18% a mais de chance de rompimento do que casais da mesma idade. E se a diferença for de dez anos entre o casal, a probabilidade de separação sobe para 39%. E com uma diferença de idade de 20 anos a chance de separação é de 95%. Os pesquisadores acreditam que um ou dois anos de diferença seria o ideal, com chance de divórcio bem menor do que 3%. Então, para os estudiosos, quanto maior for a diferença de idade entre o casal, maior é a chance de o relacionamento ir para o beleléu.

São apenas números, claro, e você pode — e deve — se envolver com quem você quiser independentemente da diferença de idade. O que quero que perceba na hora de considerar um possível casamento é que, se for com alguém bem mais velho ou bem mais novo, é bom ter clareza sobre certos aspectos, para evitar conflitos e aumentar as chances de que a união de vocês dê certo — para contrariar as estatísticas.

Por exemplo, vocês precisarão entender (e respeitar) o ritmo de cada um. Enquanto um pode querer sair para dançar com os amigos, para programas mais agitados, o outro pode não ter mais tanto interesse por esse tipo de coisa, ou talvez simplesmente prefira algo mais tranquilo. "E por acaso não existem diferenças de ritmo entre pessoas de idades próximas?" Claro que existe, mas, com décadas de diferença, o descompasso normalmente é mais perceptível.

Outra questão é a das visões de vida. Perguntem-se coisas como: quais são as metas de futuro de ambos?, onde vocês querem viver?, como imaginam essa relação?... Façam essas e muitas outras reflexões, de forma clara, honesta e em conjunto. Não finjam que vocês têm a mesma idade nem façam de conta que esses são detalhes que não precisam ser falados.

Também tenham em mente que, não importa a idade, um sempre vai ter o que aprender com o outro. Então, não permita que a diferença de idade crie algum tipo de desigualdade de poder na relação. A dinâmica no relacionamento tem de ser igualitária e um parceiro não deve se sentir mais ou menos que o outro porque é mais velho ou mais novo. Então, nada de achar que o seu amor está com "papo de velho" ou, se você for a pessoa mais velha, nada de querer corrigir a falta de experiência do outro o tempo todo. Isso acaba esfriando a relação. E, só lembrando: o papel de vocês é de esposo e esposa. Papel de pai ou mãe, só se vocês tiverem filhos.

❷ Uso excessivo da tecnologia

Ah, fala sério: diga-me se você já foi a um café ou restaurante e reparou em casais que simplesmente *não se falam*, não saboreiam o momento porque estão, cada qual, com um celular na mão. Juntos, mas ao mesmo tempo bem distantes, fechados em suas bolhas particulares criadas pelos smartphones.

Lembro-me de um paciente que certa vez me contou uma experiência, que o fez refletir sobre sua vida de casado: "A família toda estava em uma churrascaria para comemorar a visita do meu avô do Rio de

Janeiro. Fazia quatro anos que ele não nos visitava. Mas todo mundo na mesa ficou perplexo quando ele, do nada, se levantou e disse: 'eu vou embora'. A gente achou que ele estava passando mal, mas aí veio a explicação: 'Já que faz dez minutos que estou aqui e ninguém larga essa m**** de celular, não tenho o que fazer aqui'. Só convencemos o vô a ficar depois de guardarmos todos os celulares. Essa situação me fez ver com outros olhos as brigas que eu tinha a cada vez que minha esposa reclamava que eu passava muito tempo na internet".

A obsessão com as redes sociais pode pôr em risco qualquer casamento — ou o almoço com o avô. É melhor repensar o espaço que a tecnologia tem no seu relacionamento e se está atrapalhando a comunicação, a cumplicidade e a parceria com seu amor.

Um exercício legal é: sempre que sair com quem você gosta — isso vale até mesmo para amigos — empilhem os telefones sobre a mesa e combinem que quem pegar primeiro, nem que seja para ver uma simples mensagem, paga a conta. Essa é uma estratégia que costuma dar certo, porque todos sabem que se alguém quebrar a regra quem estiver à mesa vai pedir as bebidas e comidas mais caras. Imagine se você vai perder a chance de pedir aquele vinho fantástico, mas que por ser megacaro você tem pena de pagar. Eu pediria, sorrindo!

❸ Intimidade financeira

A partir do momento em que vocês se casam, a vida financeira de vocês dois está amarrada, quer você queira ou não. E isso é algo bom: afinal, vocês poderão contar um com o outro na construção de novos projetos que envolvam dinheiro, como a compra ou reforma de um imóvel ou de um carro maior para quando a família aumentar.

O problema é que muitos casais têm diferentes visões sobre o dinheiro, e não querem discutir o assunto. E, por isso, as despesas, ou a forma como o dinheiro da família é usado, são uma das causas mais comuns de briga entre os casais. Cada vez mais, eles são obrigados a somar o que ganham para ter alguma qualidade de vida juntos, sobretudo se tiverem filhos. E é nesse momento que se esbarra em uma grande muralha: "o *meu* dinheiro eu uso como quiser, o *seu* você usa como achar que deve". Para, bebê! Para porque já está na hora de você crescer e entender que o dinheiro é da *família* e que vocês precisam ter uma intimidade financeira. Se não gostam da ideia, não se casem; mas, se casarem, saibam que precisam negociar os hábitos de consumo, do que podem abrir mão quando a situação apertar e o que acham que é prioridade.

Por isso, quebre o tabu de que não se pode conversar sobre dinheiro ("porque, ó, meu Deus, isso vai ferir a privacidade do outro") e decidam juntos quais gastos vocês desejam/podem realmente assumir. Trabalhe para criar um diálogo aberto e não tenha receio de conversar sobre quanto a *família* tem de dinheiro/dívidas, onde os recursos disponíveis podem ser investidos, quanto está entrando, quanto está saindo e quais são as metas que vocês podem trabalhar em conjunto.

Mas lembre-se de que a conversa deve ser menos sobre o dinheiro em si mesmo e mais sobre os valores, hábitos e frustrações pessoais de cada um. Porque o que está em jogo, quando se trata de dinheiro dentro de um casamento, é o poder. Poder não apenas no sentido econômico, mas também no sentido psicológico. E tudo isso tem a ver com... cocô. Sim, você não leu errado. Cocô mesmo.

Freud, o pai da psicanálise, explica: é que a criança entre os dois e quatro anos faz (de forma inconsciente, claro) uma relação simbólica entre cocô e dinheiro/poder. Vou falar sobre essa relação simplificando muito o que Freud chamou de "fase anal", na qual o cocô representa a primeira noção de um "presente" que a criança pode dar a sua mãe.

É uma primeira forma de trocar, de dizer: eu tenho algo meu para você. Um "presente" que, se ele estiver com raiva ou frustrado com algum comportamento dela, ele pode "reter" — e deixar a mãe louca porque há quatro dias a criança não faz cocô. Para Freud, muitos problemas com dinheiro, como a avareza, por exemplo, vêm exatamente dessa etapa da infância.

Pausa para uma curiosidade interessante: qual é a palavra que a gente usa quando alguém está com muita raiva? A gente diz que a pessoa está: enfezada, ou seja, cheia de fezes. Então, quando se trata de finanças, cuidado: não use o dinheiro do casal como arma de castigo ou revide só porque você está com raiva da sua esposa ou do seu marido, pois isso vai fazer o casamento virar um cocô!

E não estou com isso dizendo que cada um não terá sua individualidade financeira. Sim, vocês podem gastar com o que quiserem (afinal, trabalharam para isso), mas cada um pode gastar o que sobrou depois que as prioridades do casal ou da família foram quitadas. Se não sobra nada, ou vocês vão pensar juntos numa forma de ganhar mais dinheiro, ou não vão gastar o que não podem. O que não dá é para ir para o barzinho ou comprar roupa nova com o dinheiro de pagar o condomínio.

Se você estiver gastando o que não pode, peça ajuda a seu cônjuge. Porque muitas vezes isso pode ser uma forma de aliviar uma depressão que está começando a se instalar ou de tentar abrandar alguma grande tristeza, luto, carência ou ferida do passado que você não está conseguindo superar sozinho.

Eu não sou analista financeiro, mas acredito que uma fórmula que pode funcionar é quando o casal consegue ter um fundo em comum, para o qual cada um possa contribuir proporcionalmente sobre o que ganha, e uma reserva individual, com quantia destinada aos gastos pessoais.

O casal também pode chegar a um acordo e decidir quem será responsável por assumir essa ou aquela despesa. Então, com muito diálogo, é possível chegar a uma fórmula que funcione bem para os dois. Afinal, como já disse, o dinheiro é da família mesmo que um tenha um salário mais elevado que o do outro. E é bom que se entenda que, quando a conta de água não é paga, os dois vão ficar sem tomar banho e terão muita roupa suja para lavar.

4 Quando parceiros viram desconhecidos

Quando a gente conhece alguém e se apaixona, é comum o desejo de passar horas conversando sobre tudo. Os fins de semana parecem muito pequenos quando se está naquela fase das curiosidades, de curtir o que está sendo descoberto sobre o parceiro. Com o passar do tempo, aquele companheirismo do início do namoro vai aos poucos sumindo, e o passar dos anos pode apagar o desejo de continuar descobrindo o outro. Muitos casais acham que estão mantendo o diálogo, mas na realidade o reduziram a um compartilhamento de informações sobre os problemas domésticos. Isso sem contar alguns casos mais tensos, quando a coisa é ainda pior e o diálogo fica mais agressivo — agressividade que não chega necessariamente a passar por palavras grosseiras ou gritos. Às vezes, é a agressão da não compreensão, do não escutar o outro, do silêncio indiferente ou das verdades ditas de qualquer modo, sem se importar se elas vão machucar ou não quem está ao lado.

Então, redescubram-se. Voltem a ser parceiros e arranquem a capa de desconhecidos que vestiram. Isso significa sinalizar para quem você ama o seu desejo de um reencontro com uma relação de troca e de diálogo afetuoso e acolhedor.

Com o passar do tempo, mudam nossos corpos, gostos, jeitos, temperamentos, sonhos... Mas perceba que é fundamental vocês tentarem descobrir essas "novidades" um no outro. Porque o casamento só vai funcionar se você entender que precisam se seduzir mutuamente a cada dia, não importa o tempo em que estão juntos.

E, quando falo em seduzir, não estou falando em usar roupas íntimas mais provocantes ou se fantasiar de policial. Também não é nada sobre aparência. Falo em valorizar diariamente a pessoa que está a seu lado com gestos que fogem ao padrão do beijo automático de bom dia (se é que ele ainda existe na sua vida). Uma boa maneira de colocar isso em prática é fazendo perguntas um ao outro. Vá além do "Como foi seu dia?", que é uma pergunta que já vem com a resposta "Foi bem..." (em geral seguida de um silêncio). Faça perguntas cujas respostas não podem se reduzir a "sim", "não", "normal", "legal". Use sua criatividade e volte a se interessar de verdade pela vida da pessoa com a qual se casou.

Só não confunda se interessar pela vida do outro com querer saber *tudo* da vida do outro. Não torne seu discurso algo persecutório como se você fosse um detetive; fale da relação de vocês, dos desconfortos, sentimentos e, sobretudo, de como melhorar a comunicação um com o outro. Mas é preciso encontrar o equilíbrio entre o diálogo saudável e interessado, e a invasão de privacidade.

Outra questão que pode transformar o casal em dois estranhos acontece quando um ou ambos começa a ter vontade de iniciar novos projetos ou seguir outras ambições.

Aí, é preciso atenção: quando um dos dois começa a querer fazer planos na vida e o outro percebe que estão se distanciando por causa disso, é hora de conversar a respeito. O ideal é que vocês façam planos juntos — e, claro, isso não impede a construção de projetos pessoais separados. O que digo aqui é que, até mesmo nesses planos particulares que você desejar pôr em prática, é fundamental buscar o apoio e a participação (nem que seja como ouvinte) do seu cônjuge, sempre.

Então, se começar a sentir que vocês viraram desconhecidos no casamento, é hora de olhar como andam as fundações sobre as quais construíram a relação e fortificá-las para que possam evoluir e voltar a se consolidar como casal. A vida a dois nunca vai ser uma lagoa tranquila. E isso é bom, porque as relações precisam sempre estar se reinventando, se reestruturando, se alimentando dos desejos e insatisfações que vão surgindo dentro de cada um ao longo da vida; inquietações que farão a relação parecer um mar com ondas que reviram tudo dentro da gente.

5 Quando o primeiro filho vem a bordo

A chegada do primeiro filho é quase sempre encarada como algo positivo em um casamento. Mas o que muitos pais (principalmente os de primeira viagem) não se dão conta é de que acabam deixando em segundo plano a vida do casal. Na verdade, muitos casais parecem desaparecer como homem e mulher, e começam a existir apenas como cuidadores de um recém-nascido. Aí, surgem duas pessoas esquecidas de si mesmas e do amor que nutriam uma pela outra. Não bastasse isso, ainda têm de ajudar um bebê a se desenvolver. Nesse cenário, não demora para que o casal comece a projetar um no outro sentimentos ruins e os dois passem a se desentender. Antes que se deem conta, a maternidade/paternidade toma todo o tempo e o espaço dentro da relação e aqueles momentos de troca e relaxamento tão importantes começam a ser cada vez mais raros. O resultado? Sofrimento conjugal, claro!

Mas por que alguns casais passam por esse tipo de problemática que acabei de descrever? Mais uma vez, convido você a buscar pistas para essa resposta na minha clínica. Dessa vez chamaremos a paciente de Alaíde.

Depois de oito meses de ter se tornado mãe, Alaíde voltou para retomar as sessões de psicoterapia comigo. Uma mãe aflita, dividida e confusa entre dois sentimentos tão diferentes, e que me disse, entre lágrimas:

> *Era para o meu filhinho ser uma fonte de alegria, de paz e de amor. Só que, desde que ele nasceu, a minha vida e a do meu marido viraram um inferno. Deus que me perdoe de dizer isso, mas é assim que sinto... Eu amo muito meu pequeno, sei que ele representa uma responsabilidade sagrada, um dever que não admite nem erros nem meio-termo na maneira de ser desempenhado. Mas o caso é que estou enlouquecendo, tentando dar conta de outro ser humano que nasceu sem um manual de instruções.*

De fato, o ser humano não tem um guia do usuário e Alaíde recorreu a quem já tinha passado pela mesma experiência: a mãe dela. Paralelamente ao discurso da mãe, com o celular na mão, começava a procurar na internet o que, diabos, eram "camisas de pagão" — modelo que nada tinha a ver com religião — e via surpreendida que "opala" não era só mais um nome de carro antigo; tratava-se de um tecido conhecido como "pele de ovo", que, segundo havia lido, era bastante confortável para o bebê. Alaíde achou estranho que a mãe aprovasse o fato de a criança receber a primeira chupeta ainda no berçário, já que, durante o pré-natal, chegou a conversar com um odontopediatra, que havia passado uma recomendação sumária sobre não usar a chupeta.

"O primeiro banho foi uma confusão, porque minha mãe dizia que só podia fazer a higiene do bebê com lenços umedecidos, e que banho mesmo, daqueles com água e sabão, só depois que o umbigo caísse", contou. Houve discussão até mesmo sobre a alimentação: "Minha mãe dizia que só o peito não era suficiente, que eu deveria dar umas frutas amassadas e um chazinho para cólicas. Cedi a tudo, afinal, se eu discutisse, o argumento dela era simples e direto: confie em mim, eu tive três", então ficava praticamente impossível não ceder.

Sem o tal "manual de instruções", Alaíde teve de assumir as referências das criações do passado. Como consequência, achava que era um fracasso no quesito maternidade, que não sabia fazer nada direito e criou uma dependência extrema com a mãe. E, assim, acabou se esquecendo de que ela também era uma mulher, casada, romântica e apaixonada pelo marido. E o marido, também sem experiência, embarcou igualmente nessa viagem.

O que o casal não tinha se dado conta era de que os tempos, os casamentos e as famílias haviam mudado, e ela e o marido poderiam — e deveriam — ter elaborado o próprio "manual de instruções" sobre como criar o bebê deles. Afinal, hoje em dia as relações entre pais e filhos são mais fluidas, os pais precisam manter momentos só para eles, e eles poderiam tentar criar o filho da forma como bem entendessem, sem medo de errar. Porque, sim, todo pai e toda mãe erram muito, e isso não é o fim do mundo; é apenas o começo de uma longa jornada entre pais e filhos. Não demorou para que Alaíde se desse conta de que a mãe dela também era avó de primeira viagem, e que, por mais que houvesse passado pela experiência da maternidade, e tivesse a melhor das intenções, ser avó era outra função, outra história.

Ela continuou aceitando a ajuda da mãe, mas passou a filtrar as recomendações que ela dava, e estabeleceu um diálogo mais franco e aberto com o marido sobre a criação do bebê e sobre a vida deles dois (afinal, eles precisavam existir). Com o passar das semanas, ambos já se sentiam mais em paz no casamento e com a criação do pequeno. Nas sessões subsequentes, resgatamos juntos a autoconfiança de Alaíde, que se tornou mais tranquila quando teve a liberdade de voltar a se sentir a mulher independente que parecia ter se perdido depois da maternidade.

Ela e o marido pouco a pouco entendiam serem pais capazes de criar um bebê, a partir do momento em que descobriam a necessidade de se soltarem do véu do passado para viverem as diferenças de gerações, se distanciando cada vez mais dos modelos dos avós e encontrando os seus próprios.

Novamente, voltamos a um ponto de que já falamos neste livro: aceitar-se como se é, e saber seus limites e dificuldades na hora de ser pai e mãe, é muito estruturante quando essas impossibilidades são *suas*, e não dos outros ou de gerações passadas — outros que até podem dar dicas, mas nunca determinar o melhor modo de *vocês* viverem a maternidade/paternidade ou mesmo o casamento.

E, se você já passou pela experiência da maternidade, será que quando o seu primeiro filho chegou você e seu par souberam fazer do jeito de vocês ou se perderam um do outro, por se sentirem obrigados a seguir manuais do passado que ditavam como fazer as coisas? Cuidado, porque isso não ocorre só quando estamos falando em ter filhos, mas em muitas outras áreas da vida.

Comunicação: o grande segredo

Você reparou que todos os casos sobre os quais conversamos a respeito foram resolvidos com diálogo? É, mas, infelizmente, pela experiência de consultório, posso garantir: a maioria dos casais não faz isso da forma certa — ou simplesmente nem dialoga. É preciso que você aprenda uma coisa: os problemas numa relação a dois raramente acontecem por causa das coisas que *falamos*, mas sim pelas coisas que *calamos*. O não dito sempre é o mais tóxico veneno nas relações afetivas.

Manter a relação com uma comunicação aberta e constante é algo fundamental e libertador. Reconheço (e lamento) que nossa sociedade educa as mulheres para ter uma escuta e uma fala afetiva mais ativa desde crianças, ao mesmo tempo que desencoraja os homens a expor seus sentimentos e afetos mais sutis — agressividade pode; lágrimas, jamais. Tenho certeza de que você já escutou que "homem que é homem não chora!".

Mesmo com essas diferenças educacionais, uma boa comunicação entre homens e mulheres é possível sim. Entretanto, comunicar-se não é só se sentarem um na frente do outro e começarem a falar o que lhes vêm à cabeça (isso você deixa para fazer na sua terapia). Então, que tal a gente ver algumas dicas para que a comunicação — e a relação — de vocês comece a funcionar como um relógio suíço? Vamos lá.

▶ Fale de você, nunca do outro

Existem sempre duas formas de se começar uma conversa: ou falando de você ou falando do outro. Quando você começa um diálogo falando do outro, esse outro vai se sentir atacado. O resultado? Ou ele vai atacar de volta (e vocês vão brigar), ou vai tentar fugir (e vocês vão brigar), ou, ainda, vai se fingir de morto (e vocês vão brigar). Ou seja: *vocês vão brigar*. Mas como é essa coisa de falar de você e não do outro?

Vamos ver em um exemplo. Se você começa dizendo: "Você fez isso, mas deveria ter feito aquilo". Nesse momento, você está falando do outro ou de como esse outro deveria se comportar. Percebe? Se substituir essa forma, colocando o foco em você, essa mesma frase ficaria mais ou menos assim: "*Eu* fico triste quando acontece de você se comportar fazendo isso ao invés daquilo", ou "Quando você faz isso, *eu* me sinto magoado, ou com raiva, ou *eu* perco a vontade de estar perto de você...". Nesse momento, a fala está direcionada para os seus sentimentos, e não mais para um discurso que ataca ao outro.

Isso pode parecer algo bobo, mas não é. Falar do outro só serve para desgastar o relacionamento. Mas, se eu escolho falar de mim e de como me sinto diante das ações desse outro, aumentam e muito as chances de que eu seja ouvido e que a porta do verdadeiro diálogo seja aberta.

Vale lembrar que isso é um exercício e que o resultado só vai acontecer de forma eficaz com a repetição. Ou seja, sua mudança de atitude ao falar vai ter um impacto sobre o outro, claro, mas talvez não seja nem na primeira, nem na segunda vez. Mas você deve ser forte e resistir à tentação de revidar; se persistir em se comunicar de forma diferente, o comportamento do outro em relação a você, em algum momento, também vai mudar.

▶ Vocês não são videntes

Outra coisa importante na hora de se comunicar com quem você ama é parar de tentar ler a mente do seu amor. Não é para pagar de vidente, tentando adivinhar o motivo de o outro ter agido como agiu. Se você quer uma resposta, pergunte. Mas, claro, pergunte com jeito e com educação, nunca com acusações. Por mais que você acredite saber a resposta, exercite a "desinformação" no seu relacionamento e não deduza o que o outro está querendo dizer, nem tente supor que ele entende o que você está sentindo — considere que, assim como você, o outro também não é capaz de ler mentes.

Então, nada de: "É óbvio que eu não gosto disso", "É óbvio que isso me irrita"...E por aí vai. Porque quando você fala ou pensa que: "É óbvio...", a única coisa realmente óbvia é o seu erro. Afinal, se fosse algo tão elementar assim para a outra pessoa, vocês não estariam tendo problemas.

Por isso, que tal imaginar que a outra pessoa sempre está tentando fazer você feliz e ser feliz a seu lado, mesmo que ela não consiga acertar o tempo todo? Se não acreditar que as atitudes de quem você ama têm por finalidade última a felicidade do casal, não faria sentido algum continuarem juntos, não é verdade?

▶ Exercite a aceitação

Muita gente acha que desculpar certas falhas do outro faz com que a pessoa amada se acomode e não melhore como ser humano. Mas isso não é verdade: quem nunca faz concessões fica numa posição de arrogante, de superioridade, e isso só vai diminuindo a cumplicidade entre vocês. Então, tenha em mente que deixar passar pequenas manias ou maus hábitos de quem você ama é uma forma esperta de aumentar o amor do casal.

Afinal, não adianta você tentar colocar na alma do outro mais mudanças do que cabe, porque ele vai "estourar". Claro que com tempo e paciência quem você ama vai cedendo, mudando de forma e sendo capaz de desenvolver novos jeitos de ser. Até porque, considere que também existem coisas no seu comportamento que você também não consegue fazer diferente e que ainda vai precisar de algum tempo até que seus espaços internos estejam "elastecidos" e prontos para uma transformação. É ou não é?

▶ Aprenda a ouvir

Para que uma comunicação aconteça de forma eficaz, tão importante quanto falar o que se pensa é desenvolver o interesse em ouvir. Isso pode ser melhorado com o simples ato de manter o contato visual sempre! Não subestime o poder do olho no olho, que é muito acolhedor e pode fazer o outro sentir que está sendo entendido. Nos dias de hoje, com tantas formas de distração, o simples fato de você olhar enquanto o outro fala faz com que a pessoa se sinta especial.

Então, nada de se distrair com seus pensamentos enquanto o outro estiver falando. Se for em um local público, tente não desviar os olhos para as coisas que estiverem ao seu redor. Celular, então, nem pensar. Já conversamos sobre isso.

Seja capaz de emprestar um ouvido útil e aberto para a pessoa que você ama. Pare com esse mau hábito que muitas pessoas têm de cortar o pensamento do outro, colocando o seu. Lembre-se de que todos nós somos carentes. Então, se quer que o amor e a relação de vocês continue cada vez mais forte, acaricie o ego de quem você ama com pequenos gestos de atenção e escuta verdadeira. Sei que às vezes ouvir as dores, medos, raivas ou incertezas do outro pode ser algo muito perturbador ou desconfortável. Mas tente, na medida do seu possível, oferecer uma escuta de qualidade. "Ah, mas eu não sei o que dizer." Não precisa dizer nada; basta dar ao outro a certeza de que você está ao lado, de que ele não está só.

▶ Tenha expectativas, mas suporte as frustrações de forma adulta

O casamento é exatamente tudo e ao mesmo tempo nada do que você esperava. Eu me explico: infelizmente, somos socializados para acreditar em relações de contos de fadas e até a idade adulta podemos levar conosco algumas perspectivas falsas sobre a realidade. Precisamos reconhecer que o casamento é lindo, mas está longe de ser algo fácil ou perfeito. Uma boa comunicação vai ajudar você a ter expectativas mais realistas e, no fim das contas, você vai aprender que nós somos muitos: somos príncipes e ao mesmo tempo bruxos; fadas e ao mesmo tempo feiticeiras. E, sim, podemos e devemos dialogar com a diversidade que existe na alma de quem amamos. O outro não nasceu para atender a 100% das minhas expectativas nem vice-versa, mas nós podemos nos amar sim. Afinal, o amor também é feito de frustração.

▶ Mantenha a conexão

Uma boa comunicação entre um casal não precisa passar necessariamente pela palavra falada. Você pode se comunicar por bilhetes escondidos nas coisas do outro (marcando sua presença, mesmo na ausência), ou com uma mensagem no meio do dia, só para dizer algo "bobo" como "Eu amo muito você".

Você já parou para pensar em quanto é fácil para muitos casais apontarem defeitos um do outro, ou demonstrarem quando estão aborrecidos? Pois bem, que tal treinar o contrário disso colocando na sua dieta das "boas comunicações" ao menos um elogio por dia, dirigido a quem você escolheu para amar? Garanto que essa dieta, além de alimentar a conexão entre vocês, vai fazer o amor cada vez mais forte.

. . .

> Você deve estar pensando sobre outros problemas que surgem por trás do véu do casamento e dos relacionamentos de um modo geral, mas que não listei neste capítulo. O caso é que assuntos como sexo, traição, ciúmes, interferência da família, valem a pena serem discutidos à parte. Então, vamos para a próxima página, porque tem muito mais esperando você.

SEXO: LIBERDADE OU BUROCRACIA?

Amor é cristão
Sexo é pagão
Amor é latifúndio
Sexo é invasão
Amor é divino
Sexo é animal
Amor é bossa nova
Sexo é carnaval

RITA LEE, "AMOR E SEXO"

SEXO é pecado.

Você pode até não concordar com essa frase, mas tenho certeza de que já a escutou em vários momentos da vida. Mas, por trás dessa expressão, há uma história que vem de longe. Adão e Eva... a expulsão do paraíso... essa história é bastante familiar, não é? Isso é só para você ter uma ideia de como faz séculos que os prazeres da carne viraram algo condenável, ancorado na ideia de que, por meio do sexo, podemos nos desviar de Deus.

"Tudo bem, mas e aí? Que importância tem isso na vida sexual de um casal nos dias de hoje?" A questão é que estamos todos dentro desse enorme caldo cultural. Assim, seja qual for a sua crença — ou mesmo que você não tenha nenhuma —, os (muitos) modos pelos quais a sociedade representa ou vive o sexo influenciam diretamente no seu comportamento, quer você perceba isso ou não.

Mas vamos continuar dando um pulo no tempo até o início dos anos 1960 — a década mais contestadora do século 20. Muito além das roupas coloridas e estampadas, de Brigitte Bardot andando pelas ruas com as pernas à mostra, do Black Power e das multidões que amavam os Beatles, esse período foi um tempo marcado por diferentes transformações na sociedade, de muitos ataques ao sistema político e de um desejo bastante forte de mudanças. E, entre elas, estava lá o sexo e a revolução sexual.

Naquela década, os jovens simplesmente não estavam mais a fim de viver como a sociedade ou a igreja determinavam. O movimento *hippie* (provavelmente um dos maiores símbolos da contracultura e de rompimento com as formas de se organizar e de viver a vida individual e coletiva) apareceu nos Estados Unidos, atirando tomates e ovos em políticos tradicionalistas, fazendo passeatas de protesto, queimando cartas de convocação para servir ao exército e com seus integrantes ficando pelados em frente à Casa Branca.

A frase de ordem era: "Faça amor, não faça guerra" — porque a rapaziada não queria morrer lutando na Guerra do Vietnã. Queriam mesmo era liberdade para fazer amor (sexo, para falar a verdade) com quem quisessem e como bem entendessem. O que eu me pergunto é se, apesar de toda essa gritaria, a gente poderia mesmo falar que existiu uma revolução sexual.

Eu sei que hoje a vida sexual dos casais não é mais como nos anos 60, muito menos como no início da era cristã. Você pode mesmo ter muita atividade sexual e com dúzias de pessoas ao mesmo tempo, ou ir até um clube de *swing* com sua parceira ou parceiro, se assim quiser. Mas aí eu faço uma pergunta para você pensar comigo: você *pode* fazer essas coisas, ou você meio que é *pressionado* a fazê-las?

Para entender melhor essa ideia, entre aqui no meu consultório e venha conhecer uma história curiosa. A esse paciente daremos o pseudônimo de Bráulio.

> *"Eu vim procurar o senhor porque meu urologista mandou. Já fiz tudo quanto é tipo de exame e ele disse que o meu problema é psicológico. O caso é que, na hora H, não estou funcionando. O 'camarada' aqui não dá sinal de vida e eu nunca tive esse tipo de problema. Faz seis meses que estou namorando sério. Gosto muito da minha namorada, nossa vida sexual sempre foi muito boa e acredito que, um dia, a gente vai se casar. Nunca senti nada parecido*

> *por outra mulher, nem na vida nem na cama. Então, com ela está tudo beleza na hora do sexo! O problema é que o 'camarada' deixou de funcionar quando eu saio com outras mulheres. Eu sempre fui assim, de gostar muito de sexo variado. Só que, como disse, agora só funciono com a namorada. O senhor precisa me ajudar. Mesmo com remédio não adianta que 'ele' não acorda mais na rua."*

Não, isso não é uma piada. Escrevi exatamente o que ele me disse. E aposto que você já está querendo o endereço do feiticeiro que a namorada de Bráulio procurou, para encomendar um "trabalho" que também faça "o camarada" do seu parceiro só acordar com você. Para, bebê! Isso não é feitiçaria: é conflito, culpa e medo.

Com o decorrer dos atendimentos, foi ficando claro que Bráulio simplesmente não entendia que:

① Por estar pela primeira vez amando alguém de verdade, o corpo dele não queria transar com outra pessoa. Não estou dizendo que quem ama não faz sexo com terceiros; não sou ingênuo a esse ponto. Estou falando que, no caso desse rapaz, o corpo dele estava funcionando assim. Por quê?

② Porque ele não queria magoar a mulher que amava e, inconscientemente, vivia assustado e angustiado com a ideia de perdê-la se ela descobrisse uma traição.

③ Porque ele se sentia pressionado pelos colegas, os quais o criticavam dizendo que ele poderia amar uma mulher, mas deveria sair com várias para não perder as boas coisas da vida. Afinal, homem é aquele que pega a mulher, transa, larga e corre para contar aos amigos o que fez (e sobretudo inventar o que não fez).

E esse tipo de cobrança só aumentava sua angústia e o deixava mais confuso, porque o que ele sentia pela namorada não batia com o comportamento que sempre gostara de ter.

Se isso não é repressão, não sei que nome dar. O caso de Bráulio está aí como exemplo para mostrar que a tal revolução sexual na realidade não foi exatamente como todo mundo acha. Parece que tudo mais ou menos só trocou de nome e de lugar. Ou seja, os casais, de um jeito ou de outro, continuam vivendo a sexualidade de forma reprimida para atender, em parte, ao que a sociedade aceita ou espera. E isso leva a crer que as escolhas sexuais que você faz são mesmo fruto apenas da sua vontade, mas isso não é bem assim. Em vez de uma verdadeira liberação sexual, a gente passou a viver com *novas exigências sociais*.

Claro, não vou negar que houve transformações nos comportamento sexual ao longo dos séculos, mas o caso é que, embora as pessoas sintam cada vez mais que podem escolher as normas sexuais que querem seguir, e de acordo com a sua intimidade pessoal, no fundo elas continuam funcionando, em maior ou menor medida, baseadas em julgamentos de grandes ou pequenos grupos.

Então, se entendermos a repressão sexual como um conjunto de costumes, leis e *proibições* ou *permissões* que determinam como o sexo deve ser feito, talvez tenhamos trocado seis por meia dúzia — afinal, quase tudo ser permitido pode ser tão repressor quanto quase tudo ser proibido. Eu explico: se sexo for entendido como algo ruim, pecaminoso ou até mesmo promíscuo e que não se deve fazer, a sociedade vai me olhar torto se eu disser que gosto; entretanto, se sexo for visto como algo muito bom, necessário e que deve ser feito, quem disser que não gosta vai ser olhado como um ET. É um giro de 360 graus que, claro, termina no mesmo ponto. Ou seja, sem que você perceba, o sexo continua em uma prisão, só que de um jeito diferente.

Outra coisa que poucas pessoas parecem considerar é que a liberação sexual veio muito mais por questões externas que internas. Pense comigo, fiel leitor e leitora, por que você acha que a dita revolução sexual "pegou fogo" nos anos 60, e não nos anos 40 ou 50? Porque foi em 1960 que surgiu a pílula anticoncepcional, o que finalmente dava à mulher uma posição de "igualdade" frente ao homem. Ela agora tinha o poder de decisão, de só engravidar se e quando quisesse. Além disso, os antibióticos, que já vinham se desenvolvendo desde os anos 40, passaram a resolver grande parte das infecções sexualmente transmissíveis.

Estava pronto o cenário perfeito para que as pessoas pudessem se sentir mais livres — mas não porque algo tivesse realmente mudado dentro delas. Apenas o corpo estava protegido pelas medicações, e toda aquela moralidade religiosa extrema tinha sido, em parte, colocada em segundo plano.

Mas havia mesmo mais liberdade e uma melhor aceitação da sexualidade? Duvido muito. A mudança estava fundada basicamente em transformações externas. Dentro de cada um, permaneciam aqueles olhos vigilantes do juiz que a gente carrega (e que no fundo tem muito a ver com a preocupação com o olhar dos outros), que continuam atentos e repressivos até hoje. Estou mais para concordar com Elis Regina, quando ela cantava que "ainda somos os mesmos e vivemos como nossos pais". Deixe-me lhe dar dois exemplos, para ilustrar o que digo.

(1) Você já reparou que o sexo continua, mesmo que inconscientemente, algo tão "sujo" que todos os palavrões que a gente fala com a intenção de agredir alguém estão ligados à sexualidade? Vamos pensar juntos? Seu filho da p***, vá tomar no **, seu vi***, sua sap****, seu corno... Bem, use a memória e você vai confirmar que toda palavra ofensiva parte de uma tentativa de depreciar, marginalizar ou ridicularizar o sexo. Estranho isso, né?

(2) Continuam nos ensinando que todas as secreções humanas são sujas, impuras ou podem transmitir germes, micróbios e doenças. Isso vale para as secreções vaginais, esperma, suor, urina, saliva ou quaisquer outros líquidos produzidos pelo ser humano. O corpo — e tudo o que vem dele — continua, até hoje, impuro. Na verdade, a única secreção humana de que a gente aprendeu a não sentir nojo foi a lágrima — como se ela também não carregasse germes e doenças.

Isso tudo serve para dizer que a sua vida sexual não é tão livre quanto você acredita. Ela sempre foi marcada pela história das sociedades.

Da revolução sexual ao sexo burocrático

Agora que você entendeu que a revolução sexual talvez não tenha sido tão libertadora assim, é hora de eu lhe contar que os casais têm três vidas sexuais: a que eles dizem viver, a que eles vivem de fato e a que eles adorariam poder conquistar, mas que ninguém conversa a respeito. E, aí, com todo esse silêncio, sabe onde o sexo do casal vai parar? No consultório do psicólogo.

E as queixas são as mais variadas: é a vergonha de lidar com o próprio desejo, as fantasias que não são satisfeitas, as libidos desencontradas, e por aí vai. O fato é que muitos casais andam com a temperatura bem morna (ou até gelada mesmo!) debaixo dos lençóis. O que parece uma contradição, já que, com o passar dos anos, a vida sexual deveria melhorar, não é mesmo? Afinal, se vocês dois se conhecem tão bem, sabem aquilo de que o outro mais gosta, os hábitos, as posições que acham mais confortáveis, os pontos mais sensíveis... isso deveria transformar a vida sexual em algo maravilhoso, certo? *Errado*. O gráfico da vida sexual é o seguinte:

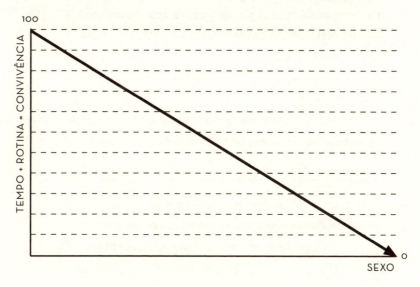

Via de regra, quanto maior a convivência, que se traduz em tempo + rotina, menor a intensidade ou o desejo de fazer sexo.

Pareceu complicado? Não se preocupe, é mais simples do que você pode imaginar. Vamos começar conhecendo cada elemento do problema. Tempo, rotina e convivência, esses você já conhece. Mas deixe-me fazer uma pergunta: o que é sexo para você? Se a pergunta parece fácil, talvez a resposta não seja tão óbvia.

Para que você entenda melhor o que é sexo e a gente compreenda o gráfico de forma mais profunda, venha acompanhar meu próximo atendimento. Agora, quem está a nossa espera no divã é Elizabete — que anda bem insatisfeita com a baixa qualidade e a pouca quantidade da atividade sexual que vem tendo com seu marido, João.

> *"Estamos casados há apenas três anos. No início do namoro era impossível um beijo nosso não terminar na cama. Usávamos massageadores, géis comestíveis e tudo mais que a gente achava que poderia proporcionar experiências novas. Até um kit '50 Tons' eu ganhei dele no meu aniversário. É lógico que nem pensamos mais na reserva que havíamos feito no restaurante. Ele me vendou os olhos e o jantar foi no sofá mesmo."*

Calma, bebê! Apesar de a vida dessa paciente parecer invejavelmente excitante, Elizabete ainda tem mais coisas para dizer.

> *"Mas, depois de um ano de casados, aquele sexo do tempo de namoro já tinha esfriado bastante e tudo que eu mais gostava era de ficar abraçada com ele*

> *na cama, vendo maratonas de séries. Então, começamos a transar praticamente só nos fins de semana, depois quinzenalmente. Já chegamos a passar quase um mês sem sexo. É lógico que eu sabia que a frequência ia diminuir com o passar do tempo, mas o que mais me incomoda é fazermos sempre a mesma coisa, entende? Como se tivesse um roteiro. A gente começa se beijando, depois ele me conduz a fazer sexo oral nele, depois ele brinca com os dedos em mim, depois mais isso, mais aquilo até que finalizamos com aquele vaivém de sempre. Virou meio que... um sexo burocrático."*

Diante da história de Elizabete, acho que já temos o bastante para voltar àquela pergunta que ficou no ar: o que é sexo para você? Você até pode enfeitar a resposta como quiser, mas no final das contas sexo é só a materialização das nossa fantasias. E nem estou falando de fantasia de couro, de sex shop, nada disso.

Mas preste atenção no que nos ensina o comportamento de Elizabeth. Ela simplesmente não percebia que, quando sentimos tesão por alguém, o que está em jogo é a *fantasia* que a gente coloca sobre o outro. Na verdade, a pessoa sexualmente desejada é, em grande parte, uma projeção feita por mim. Na hora H, meu inconsciente coloca tudo que eu quero que a pessoa seja, e isso é o suficiente para agitar os hormônios e provocar o desejo.

O problema é que, quando estamos em um relacionamento, nada destrói mais a fantasia que a realidade. Quando você se envolve amorosa e/ou sexualmente com alguém durante muito tempo, a rotina cria uma grande convivência, a capacidade de fantasiar enfraquece e os desejos sexuais vão se transformando nos dois. Sexo com certeza deixa de ser a coisa mais importante para o casal.

E, aí, você começa a perceber que a pessoa que alucinava você de tesão também ronca, peida, tem chulé, arrota, tem espinhas... ou seja, ela deixa de ser aquela figura com base na qual você conseguia fantasiar para se tornar uma criatura de carne e osso, sobretudo se os dois começam a morar juntos.

"Que absurdo, está querendo dizer que ficar muito íntimo de alguém ou se casar com esse alguém barra o sexo?" Sim, estou dizendo exatamente isso! Pare para pensar e talvez você acabe concordando comigo. Fica muito difícil projetar fantasias que acendem o desejo sexual em uma pessoa com quem tenho muita convivência. Mas calma, bebê! Claro que existe uma saída para esse impasse, e vamos conversar, sim, sobre isso.

Cegos pela burocracia sexual

Mas, antes, pense nas últimas vezes que você e sua parceira ou parceiro transaram. Será que, assim como na narrativa de Elisabete, vocês não acabam sempre seguindo um roteiro? Talvez primeiro vocês se beijem, depois um pega aqui, o outro pega acolá, aí acontece tal coisa de tal maneira e, no final (com sorte), vocês gozam como sempre. Não se sinta mal caso a carapuça tenha lhe servido. Depois que você passa algum tempo tendo sexo com a mesma pessoa, apesar da tão falada "liberdade sexual", a maioria dos casais acaba refém do sexo burocrático.

E, nisso tudo, tem um ponto crucial: *raramente* os casais mantêm *contato visual* um com o outro. Os corpos são olhados, mas os olhos não são cruzados (ou muito pouco). E o motivo é porque fazer contato visual é olhar para o sentimento, para a carência, para o que se passa no coração de quem está com você. Olhos nos olhos é uma *troca afetiva* verdadeira.

E, nessa "cegueira" afetiva, as pessoas seguem perdendo uma das coisas mais legais da vida, que é o sexo *não* burocrático. Aquele do tipo que, se você for acariciado de verdade e se entregar a essa troca, você "derrete" e quase não sabe onde você começa e o outro termina. É o sexo em que você perde as velhas referências de padrões de comportamento que estão enraizadas em você. E isso, como vimos no caso de Bráulio, e também no de Elisabete, é assustador para muita gente. Lembram-se da frase que ela disse ao ganhar o kit "50 tons"? "Ele me vendou os olhos e o jantar foi no sofá mesmo."

Você pode, sim, vendar quem está na cama com você. Mas o que eu estou dizendo é que somos ensinados a impedir o olhar de um modo geral e mais ainda na hora do sexo.

Você beija de olhos fechados? Grande parte das pessoas sim. A gente nem sabe onde aprendeu isso — no cinema, talvez —, mas é importante saber que não variar essas regras empobrece muito o sexo e a vida do casal. Então, perca a vergonha de se misturar com o outro e ganhe — ou recupere — uma das coisas mais gostosas do sexo, que é ver o prazer que está dando para o outro, olhos nos olhos.

O que ninguém também parece ter coragem de falar é que os casais, apesar de viverem falando muito sobre sexo, têm uma vida sexual de péssima qualidade, na qual estão sempre ansiosos, frustrados ou envergonhados com seu corpo e seu desempenho.

Hoje em dia, na era da burocracia sexual, as pessoas raramente fazem sexo no sentido bom da palavra — afinal, pessoa direita faz sempre tudo igual. Tenho a impressão de que, na realidade, as pessoas estão fazendo sexo como se estivessem apenas se masturbando juntas e gozando solitárias, de olhos fechados, ficando longe de si mesmas e do outro.

Porém, nem tudo está perdido. Mantenha a esperança de que sua vida sexual pode ser melhor. Além do contato visual e do se deixar "derreter" para se misturar ao outro, existem algumas dicas que certamente ajudarão o gráfico sexual a sair de perto do zero.

Da burocracia sexual ao paraíso

▶ Amplie a sua ideia de sexo

Um dos enganos de Elisabete foi ter ficado presa ao que lhe ensinaram que era vida sexual. O conceito de que sexo é só uma atividade ligada aos genitais, penetração e orgasmo é extremamente limitado e pode fazer você acabar, depois que a convivência se instala, repetindo o mesmo *script*.

Amplie sua ideia sobre sexo com um conceito bem mais simples que vai tornar mais fácil lidar com o tema. Sexo é brincadeira... de adulto.

Quando criança, precisamos brincar, pois o lúdico é fundamental para o desenvolvimento infantil. E para isso a criança usa muito a imaginação e deixa fluir. Quando crescemos, essa necessidade de brincar não some, só que agora brincamos de sexo, mas por força da repressão nos tornamos sólidos — e só os fluidos, ou os que deixam fluir, conseguem se misturar. Então, deixe de imaginar que a vida sexual é algo tão sério, tão pesado, como sempre colocaram na sua cabeça. "Ah, mas não é bem assim. Não podemos esquecer que, no sexo, existem coisas que são normais e outras que são anormais. E isso precisa ser levado muito a sério." Entenda o seguinte: normal, no sexo, é tudo aquilo que não for contra a lei e fizer parte do desejo de ambos. Quando é entre adultos e consensual, vale tudo. E, reescrevendo Tim Maia, vale até dançar homem com homem e mulher com mulher. E por que não valeria?

Faça do sexo um momento de diversão, com elementos recreativos que levem você a se despir não só das roupas, mas também dos comportamentos que a sociedade espera. O momento do sexo é seu e de quem estiver com você. Sejam livres para se divertir como acharem mais gostoso.

▶ Vá além do genital

É hora de você começar a explorar cada centímetro do corpo do outro. Como se ele fosse um grande tabuleiro de jogos, um grande brinquedo. Viva e sinta o corpo inteiro como um órgão sexual que ultrapassa o que se carrega entre as pernas.

Quando colocar seus desejos na descoberta de novas sensações em você e no outro, isso vai começar a suprir a quebra da fantasia que geralmente é perdida com a convivência. E aí o gráfico sexual vai parar de ficar próximo do zero.

Na hora H, a gente sempre espera que o outro cumpra o papel que a sociedade — e até você — sempre acha que é o certo. Mas realmente não precisa ser assim e dá para ir muito além.

Por meio do toque, é possível unir o afeto às sensações orgásticas. As pessoas existem não só da cintura para baixo. Também temos cheiros, temperaturas e gostos variados. Tudo depende da região explorada.

Jogos eróticos são sempre bem-vindos. Uma brincadeira simples que pode funcionar muito bem é convidar seu parceiro ou parceira a se deitar e apenas sentir enquanto você lhe faz carícias. E a pessoa tem de prometer que, por mais que sinta vontade, nesse momento não vai retribuir, vai apenas *sentir*. Pode ser à meia-luz ou com tudo bem aceso, não importa. Use boca, nariz, mãos, dedos, língua, unhas para explorar à vontade. O outro tem de suportar *receber*. Enquanto isso, vá percebendo as reações e sensações que você começa a despertar em quem você toca e em você mesmo (ou você mesma) — e se divirta com isso. Em seguida, vocês podem inverter os papéis, e aí será sua hora de receber carícias e se perceber passivamente.

▶ Prazer sim, orgasmo nem sempre

Para muitos, o sexo é uma verdadeira corrida pelo orgasmo. E tem gente que se sente frustrada quando não consegue chegar lá. Se não gozou — ou não fez gozar —, o dever não foi cumprido. Pois é, esse é mais um dos *scripts* que lhe ensinaram e que precisa ser desconstruído.

Não alimente uma obsessão pelo orgasmo. Até porque, falando bem francamente, o orgasmo é um estraga-prazeres. Então, relaxe. Tenha em mente que a finalidade do sexo não precisa ser vocês gozarem, precisa ser vocês terem prazer. É possível ficar brincando de chegar bem perto da explosão e simplesmente parar. Mas só consegue isso quem se dispõe a desburocratizar o contato com o outro e perceber bem o que está sentindo de verdade.

Na hora da intimidade sexual, tenha em mente que fazer sexo é dar prazer a si mesmo e que a entrega deve ser mútua. A brincadeira fica bem mais divertida se vocês, em vez de se preocuparem em gozar, conseguirem criar um "estado orgástico" que pode durar bastante tempo.

▶ Siga o seu modelo sexual

Vai parecer contraditório o que vou falar, mas os filmes pornôs são uma aula de como não fazer sexo. Eles são feitos para gerar lucro e estimular padrões extremamente repressores, porque o que vemos — e acabamos tomando como referência — é um sexo apenas genitalizado, distanciado do resto do corpo, agressivo e agoniado.

É preciso diferenciar a ficção da realidade. Trata-se apenas de encenações, e quem já tentou reproduzir as posições que aparecem nos filmes descobriu que muitas delas são extremamente desconfortáveis e nada excitantes. Nos filmes, elas são possíveis porque são várias cenas com cortes e edições. Além disso, no mundo em que vivemos, nem todo pinto é gigantesco — a maioria não é — e nem toda garganta é tão profunda. Isso sem contar o tipo de beleza dos corpos, escolhidos a dedo para se encaixarem no padrão estético de consumo vigente.

Você não é, nem precisa ser, uma atriz ou ator pornô na cama para receber ou dar prazer. Procure entender o que estiver sentindo na hora do sexo e siga o fluxo do seu corpo, sem adotar comportamentos dos outros. Gritar é uma *possibilidade*, mas não obrigatoriamente uma *necessidade* sua. Apertos, mordidas... vale tudo. Você só precisa fazer do *seu* jeito. Combinado?

▶ Descubra outros prazeres

Lembra quando Elisabete disse "...e tudo o que eu mais gostava era de ficar abraçada com ele na cama, vendo maratonas de séries"? Pois é, fixada na ideia sexo igual a encontro de genitais, ela não se dava conta de que aquilo que estava experimentando com João poderia ser um tipo de prazer sexual. Sim, existem atividades que o casal passa a desenvolver que não parecem ser sexuais, mas são extremamente prazerosas. Assistir a maratonas de séries juntos, comer uma boa comida de conforto na cama ou tomar um vinho na varanda numa noite fria também pode ser algo bastante sexual se você desconstruir tudo que lhe ensinaram sobre vida sexual e recriar parâmetros para sentir e perceber a eroticidade do que aparentemente é casto. Para o relacionamento continuar bacana, o erotismo precisa ser mais um elemento que ajuda a convivência a não consumir a fantasia.

Isso não quer dizer que o sexo genital pare de existir. Mas quer dizer que ele é apenas *uma forma* de expressão da sexualidade humana. O problema é que nos ensinam que essa é *a forma*!

As pessoas ficam presas nesse "novo tipo" de repressão sexual, e passam a acreditar que todo casal só está bem e saudável se tiver muito sexo, tal como era quando se conheceram. E, aí, cair na burocracia acaba sendo quase inevitável. Se a convivência destrói a fantasia, o amadurecimento do sentimento dá a chance de você se reinventar sexualmente no outro, com o outro e para o outro.

▶ Pare de ver o sexo como uma obrigação

O sexo deixou de ser algo obscuro para ser mostrado em toda parte. Mas o grande problema disso é que ele é apresentado de uma maneira irreal e exagerada. A sociedade de consumo passou a vender o sexo como algo excessivamente importante, e isso acaba levando as pessoas a achar que transar seja uma obrigação. Tem de fazer, senão os outros vão achar que você carrega algum tipo de problema ou deficiência.

E é claro que isso repercute diretamente nos relacionamentos. É fácil imaginar a vergonha de um adolescente que ainda é virgem — porque, nessa repressão sexual às avessas, ser virgem é motivo de deboche. Da mesma forma, muitas pessoas se sentem angustiadas quando não estão dispostas a atender às necessidades sexuais do parceiro ou da parceira.

Considerar o sexo uma obrigação intoxica as pessoas e envenena os relacionamentos. Por isso, é importante que você mude sua ideia de sexo e passe a vê-lo como uma possibilidade, não uma obrigação.

Ponha uma coisa na cabeça: sexo não traz nenhuma garantia de duração de relacionamento. Por isso, nada de fazer "caridade sexual".

Sexo sem vontade e só para agradar ao outro é terrível porque, além de ser uma violência que a pessoa faz contra ela própria, isso acabará abrindo feridas profundas no relacionamento.

Então, pare de se desperdiçar. Ser sexualmente livre é entender que você tem o direito de não ceder às pressões da cultura ou aos desejos sexuais de quem quer que seja. Lembre-se de que, por mais que a sociedade diga que sexo é maravilhoso, ele deixará de ser um prazer se você, lá no seu íntimo, não estiver a fim de vivê-lo, ou naquele momento ou com aquela pessoa.

▶ Quando chegam os filhos, o que fazer com o sexo?

Alguns casais diminuem radicalmente a frequência sexual depois que nascem os filhos. Mas por que será que isso acontece? Bom, além das questões objetivas, como tempo, cansaço e oportunidade, preste atenção, porque muitas vezes existe também um tipo de repressão inconsciente.

Você vai concordar comigo que a gente aprende, desde cedo, a não fazer nenhuma ligação da vida sexual com a função de ser pai e mãe. Tanto que chega a ser desconfortável imaginar que os próprios pais transam — vovô e vovó gozando, então, nem se fala. Assim, não é raro casais que têm filhos se "dessexualizarem" para, de forma inconsciente, manterem a imagem que foi aprendida de que pai e mãe não têm sexo.

Além disso, deixar de viver a sexualidade em função dos filhos vai tornar vocês reféns deles. E esse tipo de vínculo pode acabar deixando a relação bem problemática.

Dá para resolver isso de uma forma bastante prática. Antes de qualquer coisa, defina o território. Se antes a casa era do casal, agora existem outros pequenos moradores aos quais é preciso ensinar que não são os reizinhos do pedaço. Assim, se eles já estão na idade de andar e falar, é hora de aprenderem que não podem entrar no quarto dos pais sem bater na porta.

Para alguns, essa atitude parecerá severa demais, mas imponha essa regra sem medo. Além de dar mais liberdade ao casal, essa determinação ensina às crianças qual é o lugar delas dentro da casa e da família. Ir para a cama dos pais no meio da noite ou dormir entre o casal, nem pensar! Entenda que nós, mamíferos de um modo geral, quando sentimos que estamos no controle de alguma situação, simplesmente não queremos mais abrir mão desse poder. Pensando nisso, lembre-se de que seu filhinho fofo e sedutor vai crescer, e o jeito que você o ensinou a ter limites (ou não) e a se comportar com os pais na infância vai servir de espelho quando ele chegar à adolescência.

Se os filhos já são adolescentes, o casal não pode viver como se precisasse da autorização deles para ter uma sexualidade ativa. Por isso, é hora de deixar claro que vocês têm momentos íntimos e que isso só diz respeito ao casal. Colocar esse tipo de limite permite que eles, mais tarde, desenvolvam satisfatoriamente sua própria sexualidade.

Por isso, tão importante quanto colocar uma lei simbólica que interdita a intromissão dos filhos na vida íntima do casal é lembrar que, antes de pai e mãe, vocês são homem e mulher. Jamais deixem de lado os prazeres da vida a dois porque os filhos chegaram.

▶ Conversem sobre sexo

Falamos muito sobre sexo, em geral bem mais do que fazemos. O problema é que quase sempre falamos sobre esse tema com os outros, mas muito raramente com quem dividimos a cama. Acontece que a regra da boa comunicação afetiva também vale para o sexo.

Para que esse papo role numa boa, o diálogo não pode ficar parecendo um jogo de acusações ou cobranças. A ideia é que ele seja construtivo para o casal e, por isso, comece sempre falando do que você acha positivo, daquilo de que você mais gosta, do que você acha que lhe é oferecido de melhor, para, só então, dar espaço para as suas queixas.

Por mais que vocês se conheçam, seu parceiro ou parceira não tem bola de cristal. Então, você precisa lhe dizer do que você gosta, o que você quer e quais são os caminhos do seu corpo.

Sei que esse tipo de conversa não é fácil, mas acredite: o silêncio, nesse caso, é algo muito mais perigoso. Até porque se você empilhar muitas insatisfações, um dia vai explodir e jogar tudo de uma vez para cima do outro. E em geral isso acontece da pior forma e com palavras bem duras, e por motivos tão antigos que o outro não entenderá a relevância do que você está falando.

Outra coisa importante: depois de um tempo convivendo com alguém, a gente entra numa espécie de "zona de conforto", e acaba achando que já sabe tudo do que aquela pessoa gosta na cama, ou que o outro já deveria saber tudo o que lhe satisfaz. Engano seu. Tudo muda com o passar do tempo — inclusive os seus gostos e os de quem está ao seu lado. Se no início do namoro você gostava de uma pegada mais suave, talvez tenha descoberto com o passar dos anos que uma pegada mais forte agora estimula mais você. Ou, ainda, você que gostava de sexo com mais animação pode hoje preferir algo mais calmo. São só exemplos, mas reforçando: qualquer insatisfação ou mudança na vida sexual do casal deve ser conversada.

Para que esse tipo de conversa não se torne algo por demais difícil e penoso, evite começar esse assunto em situações muito formais, como uma festa, por exemplo, e prefira um ambiente descontraído, como um jantar a dois.

Uma tática bem simples e leve para introduzir o assunto é propor a seu parceiro ou parceira uma espécie de "jogo" em que cada um por vez dirá de que gosta mais na vida sexual, de que gosta menos e o que espera do outro. Essa também pode ser uma excelente ocasião para vocês se proporem novas coisas no terreno do sexo e se conhecerem ainda mais. Afinal, embora não pareça, vida sexual também é palavra falada.

. . .

Agora que você entendeu que a revolução sexual talvez não tenha sido tão revolucionária assim, que o sexo pode muitas vezes se tornar uma burocracia bastante enfadonha, que quando perdemos o outro como objeto da fantasia quase zeramos o gráfico sexual, e que viu algumas dicas que podem lhe devolver o "paraíso perdido", chegou a hora de falarmos de ciúme! Vamos juntos aprender a domar esse sentimento que para algumas pessoas até parece fofo ou uma prova de amor, mas que na verdade pode ser algo fatal para os relacionamentos.

CIÚME: A BOMBA ATÔMICA DOS RELACIONAMENTOS

Tudo é perda, tudo quer buscar, cadê
Tanta gente canta, tanta gente cala
Tantas almas esticadas no curtume
Sobre toda estrada, sobre toda sala
Paira, monstruosa, a sombra do ciúme

CAETANO VELOSO, "O CIÚME"

RELACIONAMENTOS trazem sensações bem bacanas, não é? Amor, companheirismo, vitalidade, segurança, felicidade... No entanto, esse pacote também traz algo que a gente não pediu: o ciúme. Todo mundo, de um jeito mais forte ou com menos intensidade, já experimentou esse sentimento que, na maioria das situações, é sempre muito dolorido.

Sei que existem diferentes tipos de ciúme. Há quem tenha ciúme dos amigos, dos filhos, do carro, dos livros, e por aí vai. Aqui, a gente vai tratar do ciúme especificamente nas relações amorosas. E eu começo perguntando para você, caro leitor ou leitora, de onde será que ele vem? Por que o ciúme desorganiza tanto algumas pessoas, enquanto tem gente que consegue passar por ele "numa boa", ou ao menos de uma forma bem mais tranquila?

Se prestar atenção, todo ciúme tem o formato de um triângulo composto de você, da pessoa que você ama, e de um terceiro elemento (real ou imaginário) que ameaça tomar o seu lugar.

O que as pessoas não percebem é que a gente já viveu esse mesmo tipo de situação conflituosa e triangular, na infância — só que, nesse período, o triângulo era formado pela mãe, pelo pai e por você.

O primeiro grande amor

Do que eu estou falando? Do tão conhecido "complexo de Édipo", que Freud descreveu em 1910. Explicando de um jeito bem simples e fácil, essa é a fase em que o menino se apaixona pela mãe e a menina pelo pai. E, aí, a criança vai encarar a situação como se houvesse uma concorrência, e vai sentir um verdadeiro ciúme da mãe (se for menino) ou do pai (se for menina). Ou seja, pai e mãe são as nossas primeiras relações de amor, mas também os nossos primeiros concorrentes (pelo menos na fantasia infantil). Entenda, entretanto, que essa estrutura psíquica é "maleável", se adapta e continua presente em todos os modelos de família que possam existir. Mesmo aquelas em que as crianças são criadas pelos avós, por uma mãe solteira ou viúva, apenas pelo pai, por casais homoafetivos, uma tribo indígena etc.

Só mais tarde esse sentimento vai ser dirigido a outras pessoas: ciúme dos irmãos, dos amigos, até que, quando chegamos à fase adulta, o triângulo se encaixa na vida amorosa. Então, a forma como a criança consegue resolver esse impasse dentro dela vai ser determinante para saber se, no futuro, ela vai conseguir lidar (melhor ou pior) com o ciúme nas relações amorosas.

É normal ter ciúme?

É normal você ter qualquer sentimento humano, inclusive ciúme, mas o que vai determinar se está sendo doentio é o que você faz com as coisas que sente, e não só o simples fato de sentir. Por isso, se para se relacionar com seu amor você passa a viver tentando controlar a vida dele, para, bebê! Está na hora de perceber que você já passou muito da conta e precisa resolver essa situação dentro da sua cabeça.

Antes, porém, não confunda amor com sentimento de posse. Na teoria, isso parece fácil, mas na prática é muito difícil, porque faz tempo que a gente vive em uma sociedade totalmente ligada à ideia da propriedade privada.

Talvez essa confusão se deva, em parte, à nossa história. Há estudiosos que acreditam que ter ciúme e ver o outro como uma propriedade foi fundamental para a sobrevivência da espécie e da tribo, assim como para garantir a proteção do território. O homem, desde cedo, tentou perpetuar a própria existência por meio dos filhos e, para isso, ele precisava que a mulher lhe pertencesse, para que gerasse os filhos dele, não os do vizinho. Caso você não se lembre, o teste de paternidade só foi criado "recentemente", em 1985.

Voando no tempo, a gente também pode perceber que os primeiros conceitos de família, que foram estabelecidos no Império Romano, mantiveram a estrutura patriarcal. Ou seja, toda a autoridade estava, mais uma vez, na mão dos homens. Tudo que fizesse parte da família romana *pertencia* ao chefe da casa (não só os objetos e territórios, mas também a mulher e os filhos).

Na Grécia antiga, era a mesma coisa. Assim como em Roma, as mulheres e os filhos estavam sob a guarda do macho e, de alguma forma, a vida das mulheres gregas era sempre submetida a um homem.

Pois bem, o conceito de família carrega, não é de hoje, essa forte noção de a mulher ser propriedade do homem. Nada muito estranho para nós. Afinal, mesmo com as lutas pelos direitos das mulheres, com o nascimento do feminismo e com elas cada vez mais empoderadas, ganhando território no mercado de trabalho e se tornando independentes dos maridos, a gente ainda ouve muitos discursos e vê muitas atitudes que insistem em transformar a mulher em objeto, remetendo sempre a essa ligação com o passado.

Mesmo assim, a mulherada é guerreira e não podemos negar que elas conquistaram, sim, muitos espaços. Inclusive o de (também) sentir a pessoa que elas amam como propriedade. No que diz respeito ao sentimento de posse e ao ciúme, hoje em dia tanto os homens quanto as mulheres podem detonar essa bomba atômica dos relacionamentos.

E eu contei tudo isso porque antes de qualquer coisa você precisa compreender que o outro não é sua propriedade. Quem você ama é *sujeito* na relação, e não *objeto*. Ou seja, o ciúme é construído sobre uma ilusão de ter a posse do "objeto". Mas o que o ciumento não se dá conta é de que, na verdade, o outro não pode lhe pertencer só porque vocês têm uma relação amorosa. E é esse sentimento de posse que acaba desencadeando o ciúme desproporcional e doentio nas pessoas.

Um monstro chamado ciúme

Como sei que vocês adoram escutar as histórias de consultório, vamos entender o que aconteceu com Paulo Honório, que vivia apaixonado por Madalena, mas morria de ciúme de Magalhães. Claro que os dados pessoais foram alterados.

Paulo Honório, gerente de banco, 34 anos, veio me procurar quando sua namorada, Madalena, 29 anos, *designer* de interiores, deu-lhe o ultimato: "Ou você se trata ou nunca mais eu quero olhar na sua cara".

Ele conhecera Madalena em uma viagem que havia feito para as cachoeiras de Bonito. A moça estava fazendo "mochilão" em companhia de três amigos, todos do sexo masculino. Assim que o namoro engatou para valer, Paulo Honório começou a ficar incomodado com a proximidade que Madalena mantinha com os três rapazes, mas nunca falou nada.

Uma vez, chegou a perguntar se a moça já tinha ficado com algum daqueles amigos. "Ela riu de mim e disse que eu deixasse de ser bobo. Isso fez com que eu escondesse ainda mais esse meu ciúme."

Durante os dez primeiros meses de namoro, ele engoliu seu ciúme — embora se mantivesse discretamente alerta e vigilante a tudo e a todos. A coisa começou a sair de controle quando Madalena foi procurada por Magalhães, um rico empresário de 55 anos, divorciado, que queria redecorar o seu *duplex* à beira mar. Era um trabalho que levaria alguns meses, e ele havia feito uma proposta financeira irrecusável a Madalena.

A moça compartilhava todos os passos dessa negociação com o namorado. No dia em que finalmente assinaram o contrato, o empresário convidou o casal para um jantar, regado a vinhos caríssimos, no melhor restaurante da cidade. De forma meio irritada, foi assim que Paulo Honório descreveu o evento: "Um exagero. Eu jamais escolheria aquele restaurante, muito menos os vinhos. Ainda bem que Magalhães não aceitou de jeito nenhum que rachássemos a conta."

Apenas um mês depois de iniciada a reforma, Paulo Honório começou a desconfiança. "Eu achava que ela passava tempo demais naquele *duplex*. E, quando ela não estava lá, vez por outra eu percebia que estava respondendo às mensagens do tal Magalhães pelo celular. Qual era a necessidade de passar tantas horas dedicada a um único trabalho?"

A partir daí, Paulo Honório começou a querer descobrir o que estava acontecendo. Passou a prestar atenção nas roupas que ela usava para trabalhar. "Sempre que ia tratar com Magalhães, saía linda, muito mais que o habitual. Até mesmo comecei a procurar saber os dias em que ela fazia depilação!"

A busca irracional por sinais que confirmassem que havia realmente motivos para o ciúme não parava. "Também vasculhei a cômoda e percebi que ela tinha comprado roupas íntimas novas. Depois descobri a senha para desbloquear o celular dela e, certo dia, enquanto ela tomava banho para ir trabalhar, li uma mensagem onde Magalhães a chamava de "minha querida"!

"Minha querida" foi a gota d'água que fez Paulo Honório transbordar. Quando Madalena saiu do banho, ele disse: "Hoje posso chegar mais tarde ao serviço, então acho que vou com você até o *duplex*. Estou curioso para ver um pouco do seu trabalho". Ao perceber que a moça tinha ficado desconfortável com a situação, ele teve certeza de que havia alguma coisa errada. Madalena ainda tentou dizer que não era preciso. Irredutível, Paulo disse que iria mesmo assim. Foi aí que Madalena entendeu o que estava acontecendo.

"Ela disse que o que eu estava fazendo era ridículo, que esse era o trabalho dela." Paulo Honório foi além e perguntou por que a noiva andava tão bem arrumada, maquiada e perfumada só para ir ao trabalho. Cego e surdo pelo que sentia, ele abriu a cômoda e jogou na cara de Madalena as novas *lingeries* que ela havia comprado e perguntou se aquelas compras eram para que Magalhães aumentasse o salário dela com horas extras.

"Você já percebeu que essas *lingeries* ainda estão com a etiqueta? Elas nem foram usadas, porque eu queria fazer uma surpresa para o dia do seu aniversário...". Humilhada e entristecida, Madalena começou a chorar.

"Acordado" pelo choro da moça, ele voltou a si e tentou se desculpar.

"Sem querer escutar mais nada, ela me mandou embora da casa dela e disse que ou eu me tratava ou ela nunca mais iria nem olhar na minha cara. É por isso que vim procurar o senhor. Sei que não estou bem e que preciso sair disso. Não quero perder a mulher que amo, se é que já não perdi", desabafou Paulo Honório.

Talvez você esteja pensando que esse caso é muito extremo — e é mesmo! Mas, como dizem, quem olha o muito também vê o pouco. Então, vejamos o que podemos aprender com esse casal, para que você possa refletir e prestar atenção se tem alguma coisa parecida no seu relacionamento.

Quando a comunicação some, o monstro do ciúme aparece

E uma das primeiras coisas que se pode entender são as falhas de comunicação. Percebe que elas parecem ter existido desde o início dessa relação? Paulo Honório não falava sobre suas inseguranças e, em vez disso, vigiava a moça desde o começo do namoro. E, quando eu digo falar, não é cobrar ou exigir nada do outro, é comunicar o que se está sentindo e *pedir ajuda*.

Quando ele questionou se Madalena havia ficado com algum dos três amigos, ele poderia ter feito isso de uma forma diferente, tipo um pedido de ajuda. Algo que demonstrasse as inseguranças e fragilidades que ele estava enfrentando, de forma que ela o ajudasse a lidar com isso.

Já Madalena também não percebeu a comunicação e se comportou de uma forma que não foi muito útil. Ela simplesmente "riu dele" quando foi questionada. A moça perdeu uma oportunidade de ouro, já que teria sido mais rico para o relacionamento se ela tivesse levado a pergunta mais a sério. Se assim ela tivesse feito, talvez os dois pudessem ter encontrado uma excelente oportunidade para expressarem o que sentiam a esse respeito e passassem a estabelecer limites saudáveis que norteariam o caminhar do relacionamento.

Vamos aprender o seguinte, se você quer se relacionar amorosamente com alguém, precisar desenvolver uma coisa que anda em falta no mercado e que se chama *paciência*. Porque quando o outro promete estar ao seu lado, esse vínculo deve ser construído diariamente.

É por meio do diálogo que vocês dois vão se tornar capazes de suportar as imperfeições e fragilidades mútuas. O ciúme é resposta interna a uma ameaça externa que está ligada, em grande parte, à falta de paciência na comunicação e à fantasia de que as relações já *nascem prontas.*

Essa fantasia se deve, em alguma medida, ao fato de que a sua relação com papai e mamãe, ou ao menos a forma e os papéis, já nasceu pronta — lembra-se do triângulo do ciúme edipiano que eu expliquei que a gente vive? Por isso, para muita gente, relacionamentos podem parecer algo que já tem o formato e o lugar de cada um definidos desde o começo. Só que isso é um engano.

O ciúme doentio ou excessivo também pode estar fortemente ligado, muitas vezes, a situações vividas na infância, como a sensação de abandono, a falta de afeto, a negligência de atenção dos pais, entre outros. Há quem diga que tem ciúme porque já passou por muitas traições e que isso nada tem a ver com a infância.

De fato, ter sido traído deixa cicatrizes, mas você não é uma pessoa vulnerável ou psicologicamente imatura. Então, seria bom se perguntar se o ciúme generalizado que você atribui a traições passadas não teria, na verdade, reaberto feridas infantis que já estavam lá, no seu inconsciente. Se não fosse assim, você seria capaz de simplesmente dizer que quem traiu você não presta e ponto final, vida que segue. E não ficaria carregando isso na alma, achando que o mundo inteiro é feito de traidores e traidoras. Ter ciúme desmedido fala mais de fantasmas muito antigos, que você carrega e que provocam muita ansiedade, que de dolorosas traições sofridas na idade adulta.

Outro sentimento que Paulo Honório descobriu ao longo da terapia e entendeu que estava estimulando o seu ciúme descontrolado foi a inveja. Magalhães levava uma vida com recursos e luxos que muitos gostariam de ter. E Paulo Honório se via numa posição inferior quando se comparava a Magalhães. Quando a insegurança e a inveja caminham juntas, é bem difícil manter a cabeça no lugar.

> **Agora responda:** quantas vezes, atrás do seu ciúme, estava escondida a inveja ou o despeito por aquela pessoa que você julgava seu oponente?

Como se vê, o ciúme de Paulo Honório começou com aquela pulga atrás da orelha e foi se manifestando em pequenas proporções, como um leve aborrecimento, até acontecer o incêndio que o fez explodir. A *lingerie*, a agenda de depilação da moça, o trabalho excessivo, a mensagem no celular... tudo parecia tão claro para ele, não é?

Quando a coisa chega no caso extremo, o ciúme se torna algo semelhante a um delírio paranoico. As "pistas" aparecem em todos os lugares, e tudo começa a "fazer sentido" na fantasia do ciumento.

Se, por exemplo, a pessoa ciumenta for verificar todos os dias se o parceiro ou a parceira está onde disse que estaria, e ele ou ela sempre estiver, isso não é prova de fidelidade. A pessoa provavelmente vai pensar que ainda não veio conferir no dia certo e que o "traidor" ou "traidora" está dando sorte até aquele momento. Ou seja, é impossível provar o não fato.

Se você se relaciona com alguém que aqui e acolá tem pequenos "ataques" de ciúme — coisas que você às vezes até pode achar que é fofo —, tenha muito cuidado com isso. Discutir abertamente sobre o problema é a melhor coisa a fazer.

Nesse tipo de conversa, é importante evitar comportamentos destrutivos, como ameaçar o outro de terminar a relação. Conversar sem medos nem tabus sobre qualquer tema, inclusive o ciúme — que hoje em dia muita gente tem vergonha ou receio de assumir —, ajuda na estabilidade do casal e reforça os laços afetivos. Lembre-se de que o ciúme é como a massa de um bolo grande numa forma pequena. Vai crescer com o calor da relação até transbordar e fazer uma grande sujeira.

Antes de continuarmos essa conversa, vamos conhecer um desabafo que ouvi durante uma das sessões com uma paciente a quem chamaremos de Leila. Casada havia três anos, e sem jamais ter vivido nenhuma situação de traição do marido, ela sentia um ciúme que a perturbava.

> *Não sei mais o que fazer. Há tempos que venho tentando mudar meu jeito! Sinto que essas coisas estão me fazendo mal. Sou ciumenta a ponto de fantasiar coisas na minha mente. Sempre fui muito possessiva e minhas emoções costumam aparecer de forma extrema... Nossa, é horrível, às vezes fica difícil até respirar! Sei que, além de me prejudicar, isso também está acabando com meu casamento. Eu quero mudar, mas como? O que fazer para superar esse meu ciúme? Ontem, meu marido saiu do trabalho às 4 da tarde e foi para o futebol com os amigos, e isso já foi o suficiente para eu perder o apetite e ficar com o estômago doendo. Credo, o que é isso? Embora ele não me dê motivos, simplesmente não acredito nele. Não quero mais ser assim, por mim mesma, é tão ruim ficar sentindo tudo isso...*

É curioso observar que Leila não consegue digerir tanta angústia e, não por acaso, isso acaba somatizado numa dor de estômago. Ao mesmo tempo, ela também não consegue confiar nem ver verdade nas palavras e nos comportamentos do marido.

O que ela não era capaz de entender é que a gente não tem controle algum sobre a vida ou o comportamento dos outros. Objetivamente falando, quando entramos em um relacionamento, o único controle que a gente tem, de fato, é o de querer estar ou não na relação. Só isso.

Portanto, aprenda uma coisa: acreditar no outro é uma *escolha*. Pode até parecer estranho, mas é exatamente isso.

Vamos ver alguns exemplos? Se o celular estiver desligado, a pessoa pode estar sem sinal ou não. Se o carro estiver no estacionamento do trabalho, o outro pode estar lá dentro ou não. Se disser que está no trânsito e você pedir para ele buzinar só para confirmar, ele pode estar buzinando de dentro da garagem do motel ou não.

Em síntese, acreditar ou desacreditar será sempre uma escolha *sua*, com raras possibilidades de checagem no real.

Se você só puder acreditar com provas materiais em mãos, há uma boa chance de que enlouqueça nessa busca cansativa pela verdade absoluta, ou que viva na solidão.

Ainda aproveitando o caso da paciente Leila, vamos pegar a pergunta que ela me fez — o que fazer para superar esse meu ciúme? — e tentar criar algumas possíveis respostas. Estou seguro de que você também terá muito a aprender com isso.

Como desarmar a bomba atômica dos relacionamentos

▶ **Descubra o seu valor**

Antes de qualquer coisa, é necessário trabalhar sua autoestima e aprender a se amar. Portanto, cuide da sua falta de autoconfiança. Leila foi descobrindo, nas sessões, o quanto a autoestima dela era frágil. Tanto que vivia fixada na ameaça de que o marido poderia trocá-la por alguém muito mais interessante, a ponto de qualquer saída dele sozinho com os amigos, até para um simples futebol, deixá-la numa situação emocional bem desconfortável.

Algo semelhante acontecia com Paulo Honório, que sentia-se rebaixado diante do poder econômico de Magalhães. O que Paulo não percebia era que o dinheiro de Magalhães mexia com a autoestima dele, não com o desejo sexual de Madalena.

Se você não tiver uma boa autoconfiança, vai se achar desinteressante ou inferior e qualquer outra pessoa poderá parecer uma ameaça, com você pensando coisas como: "Eu posso ser trocado ou trocada a qualquer momento, porque sempre vão existir pessoas muito melhores, mais bonitas ou mais ricas que eu por aí".

E, então, bastará um sorrisinho a mais na direção da sua pessoa amada para você já ficar pensando bobagem. E você até cria na cabeça aquela cena dos dois juntos e você em um mar de lágrimas. É hora de começar a separar o que é fantasia do que é realidade.

Então, olhe para você agora e bote na cabeça que se o outro trair você com quem quer que seja — ou mesmo trocar você por alguém —, você até perde com isso, mas quem deixar você vai perder muito mais.

Porque você é capaz de amar, de desejar essa pessoa que estava ao seu lado, de cuidar e se dedicar a ela de uma forma única. E se ela quiser desperdiçar tudo isso, problema dela. Se essa pessoa não sabe ou não quer mais receber o que você tem de melhor para dar, embora esse fato possa atingir você, isso não é um problema seu na medida em que o sentimento e o desejo do outro estão totalmente fora do seu controle.

Também pare de achar que seu valor vem do fato de essa outra pessoa querer ou não você. Nunca se sinta menos. O seu valor existe, ele é seu e não lhe é dado por ninguém. Enquanto você não o encontrar, enquanto ficar se sentindo o último ou a última da fila, já quase perdendo a vaga, você vai continuar sentindo ciúme até do vento.

E, mesmo que você finja se gostar ou se sentir superior, isso vai respingar em todo mundo ao seu redor, e as pessoas, às vezes até inconscientemente, vão perceber essa sua baixa autoestima mascarada. Então, nada de tentar ser uma fraude. Mude de verdade, por dentro, o seu modo de se perceber.

▶ Descubra que você já é uma pessoa adulta

Outro motivo para se sentir um ciúme exagerado é que algumas pessoas não se dão conta de que já são adultas.

"Como assim eu não sei que sou adulto?"

É exatamente isso, você não sabe. Porque, se soubesse, não iria repetir um comportamento bem típico das crianças. Vou explicar: é normal para uma criança de um, dois ou três anos de idade ter pânico de ser abandonada, trocada ou deixada de lado. Na cabeça dela, passam medos e inseguranças do tipo: "Minha mãe já não me beija como antes", "Ela não me deixa mais dormir na cama dela", "Ela não passa mais tanto tempo me colocando para dormir, e vai logo embora ficar com papai ou prefere ir assistir TV".

Também pode acontecer que para você amor rime com abandono porque em sua infância alguém que você amava desapareceu de repente da sua vida, ou por falecimento ou porque simplesmente foi embora. Esses tipos de sentimento são completamente normais em uma criança, porque, se ela for abandonada por quem ama, não terá como viver nem física nem psicologicamente.

Mas tem muitos adultos que cresceram com esse medo de serem abandonados. Se for esse o seu caso, para, bebê! É hora de compreender que você não tem mais dois anos de idade e que você sobrevive ao abandono, sabe se virar, tem condições de refazer a própria vida e até de encontrar novos amores. Então, essa ideia de que precisa vigiar cada passo que a outra pessoa dá porque você não vai suportar viver sem ela é, no fundo, só um eco das suas fantasias de criança.

Já que deixamos claro aqui que você é alguém adulto, não permita que seu ciúme seja demonstrado de forma infantil. Então, nada de ser uma pessoa que vive fazendo perseguição nas redes sociais, criticando as curtidas do outro ou se declarando excessivamente em cada foto postada pelo seu amor, como se estivesse "marcando território".

Seguir a pessoa até o trabalho, tentar descobrir a senha do celular ou das redes sociais também são comportamentos altamente corrosivos para a relação e que só vão alimentar ainda mais a fantasia dos ciumentos.

Também nada de proferir xingamentos ou usar de sarcasmo. Se a pessoa faz um elogio sobre como um novo colega de trabalho é inteligente, não seja dramático ou dramática dizendo coisas do tipo "Ah, já que você achou ele tão inteligente, saia com ele!". Isso, além de fazer você parecer uma criança, atrapalha muito o surgimento de uma comunicação madura entre o casal.

▶ Descubra outro nível de amor

Outra razão importante que pode estar lhe fazendo ser escravo ou escrava do ciúme é o fato de não conseguir passar, dentro de você, para um outro nível de amor. E estou falando de um amor mais maduro, que nasce quando a gente consegue abrir mão da possessividade.

Se digo que amo alguém, mas passo rapidinho do amor à raiva descontrolada, ou à perseguição e ao desejo de machucar ou de me vingar do outro por ciúme, vamos combinar que isso não é amor. Isso é sentimento de posse, é desejo de que o outro seja minha propriedade. E quem ama não vive tentando colocar o outro em uma gaiola. Porque amar, de verdade, é amar a liberdade do outro e a sua própria liberdade. E, para viver assim, repito, é preciso ter autoconfiança. É preciso se amar.

Então, tente colocar na sua cabeça essas três coisas que você precisa fazer para acabar com esse comportamento ciumento e descabido.

1. Assuma em seu íntimo que seu ciúme é irracional. Reconheça que isso é um problema e que você precisa mudar esse aspecto da sua vida para poder viver em paz com o outro e com você mesmo (ou você mesma).

2. Comece um trabalho de desenvolvimento da sua autoconfiança. Escreva uma lista de coisas que são difíceis para você fazer e tente começar a superá-las. Por exemplo: falar em público (se isso lhe for difícil), ir ao cinema sem uma companhia (se isso constrange você ou lhe causa insegurança)... Enfim, coloque desafios para melhorar sua autoconfiança. Isso, consequentemente, vai melhorar sua autoimagem.

3. Cuidado com os pensamentos automáticos de desconfiança. O ciúme nos leva a ver tudo e todo mundo que se aproxima de quem amamos de forma bastante negativa. Qualquer comporta-

mento parece se tornar um ataque, uma ameaça contra você ou o seu relacionamento.

Por exemplo, se o seu amor deu carona a alguém do trabalho e você começa a pensar coisas do tipo: vai rolar um clima, essa carona foi só um pretexto, eles estão se paquerando... pare, porque essa é uma forma automática de pensar. Em vez disso, respire fundo e perceba que a carona está sendo apenas um gatilho para seus velhos hábitos de sempre desconfiar de tudo. Desarme essa bomba mental invertendo a ideia. Coloque-se no lugar da outra pessoa e pense que você poderia dar carona a colegas sem paquerar ou querer fazer sexo com alguém, afinal é normal que colegas se deem carona.

Também ajuda, quando vierem seus velhos pensamentos de desconfiança, lembrar-se dos bons momentos que você vive e já viveu com quem ama. Pense na cumplicidade que já experimentaram juntos. Em outras palavras: confie em você, seja livre, viva e deixe o outro viver!

. . .

Quando saímos da fantasia para a realidade, é possível raciocinar melhor e entender o que se passa no relacionamento que estamos vivendo. Isso ajuda, e muito, a administrar o ciúme e a ser mais feliz. Mas, como não temos o controle do que o outro vai fazer, pode acontecer, sim, de você ser vítima de uma traição. E se isso acontecer? Tem remédio? Como superar uma infidelidade? Continue comigo porque é sobre isso que vamos conversar no próximo capítulo. Vamos juntos?

TRAIÇÃO: O AMOR NOS TEMPOS DA INFIDELIDADE

Te perdoo
Por contares minhas horas
Nas minhas demoras por aí
Te perdoo
Te perdoo porque choras
Quando eu choro de rir
Te perdoo
Por te trair

CHICO BUARQUE, "MIL PERDÕES"

O FANTASMA da traição é sempre assustador! Tanto que, não é de hoje, está presente na vida das pessoas e no imaginário social por meio do cinema, do teatro e, claro, da literatura. É impossível encontrar alguém que já não tenha traído ou sido vítima de algum tipo de traição. Assim como o ciúme, a traição também pode ter diferentes fontes e destinos.

Até mesmo a Bíblia está repleta de situações que trazem alguma coisa relacionada à traição. Quase todo mundo conhece a história de Caim, que traiu seu irmão Abel e o matou, ou a de Judas, que vendeu Jesus aos romanos, ou, ainda, a de Dalila, que contou o segredo da força de Sansão aos líderes dos filisteus. Esses poucos exemplos já mostram que a variedade de tipos de traição e de motivos para trair é enorme. Aqui, claro, estamos interessados em conversar sobre a traição conjugal, cuja frequência é bem maior que se imagina.

Alfred Kinsey demonstrou nos anos 1950 que 50% dos homens e 26% das mulheres nos Estados Unidos haviam tido relações extraconjugais. Então, você pode concluir que a ideia popularmente aceita de que os homens traem mais que as mulheres está certa. Mas, antes que você se anime com essa dedução, vejamos dados mais atuais. Segundo o Centro de Pesquisa National Opinion, de Chicago, em 1972, cerca de 26,5% das mulheres entrevistadas não achavam nada demais em ter sexo fora do casamento. Vinte anos depois, em 2012, esse número subia para 56%.

Ainda há um estudo realizado em 2012 pelo IllicitEncounters.com, site de encontros extraconjugais do Reino Unido, mostrando que quase 38,8% das mulheres já se envolveram sexualmente fora do casamento com um colega de trabalho, enquanto 30,7% dos homens disseram ter feito a mesma coisa.

Esses dados talvez levem você a concluir que os casamentos de hoje em dia andam muito mal das pernas e que as pessoas traem cada vez mais porque estão infelizes nos relacionamentos, certo? *Errado*. Na verdade, a ligação entre traição e relacionamentos infelizes parece não ser uma linha tão reta quando observamos os dados de um estudo feito em 2010 por Helen Fisher, da Universidade de Rutgers, em Nova Jersey, no qual ficou demonstrado que 56% dos homens e 34% das mulheres que tiveram relações extraconjugais responderam que viviam em um casamento feliz ou muito feliz.

Não vou me deter discutindo os dados, até porque estou apenas lhe mostrando recortes das pesquisas. Entretanto, parece que nosso querido Marcos Caruso tinha mesmo razão ao escolher o título de sua famosa peça teatral *Trair e coçar é só começar*. Mas o que alimenta essa comichão de querer começar a trair?

Vamos tomar como ponto de partida a fala de um paciente que, em sua primeira sessão de psicoterapia, disse-me o seguinte:

> *Meu casamento desde sempre vive em crise. Já traí minha mulher várias vezes e, embora ela acabe me perdoando quando descobre, nossa vida virou um inferno e sinto que a relação está ficando desgastada. Amo minha esposa e não quero que ela me deixe, mas sei que nosso casamento não vai resistir por muito mais tempo à minha necessidade de ser um conquistador. Eu tento, mas não consigo ser diferente. Por isso estou aqui. Quero e preciso mudar.*

Não consigo me lembrar da fala desse paciente sem pensar em Don Juan, sem dúvida o sedutor compulsivo e infiel mais conhecido da literatura. Embora a imagem dele seja em geral mais associada aos homens, o que popularmente passou a ser chamado de "síndrome de Don Juan" pode ser vivido por pessoas de ambos os sexos.

Os que têm essa "síndrome" sabem conquistar manipulando as emoções das pessoas. Mas, assim que conseguem isso, já estão de olho em outra pessoa, e em mais outra, e mais outra. E, assim, ele ou ela segue seduzindo, sendo infiel e largando corações despedaçados pelo meio do caminho.

É aquele tipo que sabe seduzir manipulando as emoções das pessoas e, quando consegue conquistar e sente que o outro está na dele ou na dela, simplesmente perde o interesse. Podem até se casar, amar a parceira ou o parceiro e ter filhos (aos quais se dedicam). Ele ou ela só não conseguirá ser fiel e mergulhar, de fato, em uma relação monogâmica, em uma entrega a dois, sem mentiras.

Por que algumas pessoas — incluindo-se aí esse meu paciente — se comportariam como Don Juan? Se você se recordar do triângulo edipiano — pai, mãe e filho — que expliquei no capítulo em que falei sobre ciúme, vai entender mais facilmente: quem se comporta como um Don Juan é uma pessoa imatura. E é nessa busca pelo amor materno ou paterno que a pessoa não vai medir esforços para seduzir muitas mulheres ou homens que cruzarem seu caminho.

O problema é que quando "mamãe" ou "papai" se apaixona por você — representados, na sua fantasia inconsciente, por homens ou mulheres que você paquera ou com os quais estabelece um vínculo amoroso —, a única opção é fugir dessas relações, inconscientemente incestuosas. Acredito, caro leitor e cara leitora, que você já ouviu falar de casais que, principalmente depois do nascimento dos filhos, esquecem expressões como "meu amor", "minha paixão", "meu bem", "minha tchutchuquinha", e passam a se chamar "carinhosamente" de "pai" e "mãe". Cuidado! Porque isso é, de fato, jogar a derradeira pá de cal sobre qualquer vida erótica que poderia existir entre vocês.

É por isso que algumas pessoas só conseguem estabelecer relações amorosas rasas e pouco duradouras, pois vivem presas nesse círculo de conquista e traição. E, aí, ou abandonam o outro, ou criam um ambiente negativo "de propósito", só para serem abandonadas e se eximirem da responsabilidade do término. E era exatamente isso o que meu paciente, de maneira inconsciente, estava buscando com suas traições. Ser deixado pela "esposa-mãe" com a qual se casara.

Pense comigo: quando iniciamos esta conversa sobre traição, aposto que veio à sua cabeça as "puladas de cerca", o Ricardão escondido no armário ou embaixo da cama, ou ainda a pessoa que diz que está fazendo "hora extra" no serviço e chega em casa às quatro da manhã sem explicação. De fato, quando a gente pensa em traição, são normalmente coisas assim que se imagina. E essa representação da infidelidade encontra suporte na maneira como a sociedade está estruturada.

Além do estilo Don Juan, existem muitas outras formas de a infidelidade conjugal ser vivida, expressa e buscada. Tanto é assim que, em 2008, a campanha do site Ashley Madison, que promove encontros extraconjugais, chamou a atenção da sociedade americana com o slogan "A vida é curta. Curta um caso". Essa frase, que provocou muita polêmica, apareceu escrita em inglês — *Life is short, have an affair* — nos telões luminosos da movimentadíssima Times Square, em Nova York. Hoje, o site acumula mais de 45 milhões de inscritos em todo o mundo — inclusive no Brasil, o segundo país com mais usuários dessa ferramenta que ajuda pessoas casadas a traírem sem riscos de serem pegas.

A página principal do site traz o seguinte texto:

> *"Conhecer alguém no trabalho ou por meio de amigos é muito arriscado quando a discrição é sua principal preocupação. Muitos foram para os tradicionais sites de namoro on-line, mas tiveram dificuldade em encontrar pessoas que procurassem um tipo de relação semelhante. E, assim, Ashley Madison foi criado como o primeiro site aberto e honesto sobre o que você poderia encontrar lá: pessoas com as mesmas intenções à procura de relacionamentos entre pessoas casadas".*

É claro que, antes mesmo de esse aplicativo existir, os casais já tinham — sempre tiveram — artimanhas para pular a cerca. Quando ainda não existia telefone celular, os encontros eram marcados em conversas à meia voz no telefone do trabalho ou, ainda, arrumava-se uma desculpa para ir telefonar no orelhão da esquina e gastar muitas fichas com isso. Assim, o desejo de trair é tão velho quanto o próprio sexo. O que mudou foi apenas que hoje as circunstâncias sociais e tecnológicas estão muito mais favoráveis para a "concretização" do fato.

Então, com tantas diferentes formas e possibilidades de trair, e sabendo que o que é infidelidade para uma pessoa pode não ser para outra, parece justo nos perguntarmos: como podemos definir o que é uma traição conjugal? De maneira simplificada, poderemos dizer que é tudo aquilo que você ou a pessoa com quem se relaciona fazem, mas que está fora do que vocês combinaram que era permitido existir na relação.

Entendo que na maior parte das relações é bem possível que vocês nunca tenha conversado e combinado algo a esse respeito. Mas pare para refletir: se vocês nunca conversaram sobre as regras do jogo, de que forma estão jogando? Da maneira que é melhor para vocês ou obedecendo ao modelo de fidelidade que a sociedade determinou que deveria ser seguido?

Se você me acompanha desde o início, vai se lembrar de que no capítulo sobre o perigo dos relacionamentos "propaganda de margarina", chamei sua atenção para o fato de que existem tantos tipos de relacionamento quanto casais no mundo, e que é um perigo para qualquer casal continuar vivendo formatos de relacionamentos que foram colocados pela sociedade, em vez de aprenderem a comunicar os desejos de cada um, sem máscaras nem véus preconcebidos. Então, mesmo que os outros ou a sociedade não entendam, são vocês que precisam determinar o que é fidelidade e amor na relação.

E a forma de fazer isso é não escondendo de quem você ama o que realmente quer e deseja ser e viver enquanto pessoa e casal. Muitas traições acontecem simplesmente porque vocês não pararam para estabelecer as regras do jogo de vocês. Então, sexo fora do relacionamento ficou convencionado como sendo a *traição*, em itálico mesmo, quando na verdade pode, dependendo do que isso signifique para cada parte do casal, ser apenas um detalhe.

Você pode até dizer que transar com outra pessoa é infidelidade conjugal e que isso não se discute. Calma, bebê! De fato, para a maioria das pessoas, sexo ou troca de carinhos com terceiros é mesmo tido como traição, não estou negando isso. O que estou dizendo é que sua parceira ou seu parceiro, ou até você, pode ter desejos por outras pessoas — e, depois de certo tempo de relacionamento, sentir isso é quase inevitável —, mas se vocês não conversarem também sobre esse tema e não resolverem em conjunto o que fazer com esses desejos, ambos, ou um dos dois, vai direcionar essa vontade para alguma alternativa. Que muitas vezes acaba sendo mesmo uma pulada de cerca.

Talvez você nunca tenha parado para pensar se consideraria traição outros comportamentos que podem estar na rotina do seu casamento. Ver filme pornô, se masturbar, ir ao cinema sem a outra pessoa, dançar com uma pessoa amiga (com o outro estando presente ou não), curtir fotos de outras pessoas em redes sociais, manter conversas com um ex-relacionamento que virou amizade, usar *emoticons* de corações com outras pessoas na internet, publicar fotos sensuais no próprio perfil, não gostar de usar aliança, não esperar para ver o novo episódio da série de que os dois gostam tanto... Isso é só uma amostra, mas percebe como a lista de possíveis traições é grande e não se liga necessariamente a sexo com outras pessoas?

Quando sexo com terceiros não é o problema

Para você perceber como infidelidade amorosa nem sempre significa infidelidade sexual, vou lhe contar mais um caso que chegou ao meu consultório. Chamarei o casal de Alice e Daniel.

Alice e Daniel se conheceram em um festival de cinema francês, que ambos adoravam e que acontecia todos os anos na cidade onde moravam. Eles namoraram, noivaram, casaram-se e, com o passar dos anos, Alice foi percebendo que, além de gostar dos filmes franceses, Daniel também curtia variar as coisas no sexo — com outras pessoas.

Já no começo do relacionamento, isso foi conversado entre eles. Foi uma novidade assustadora para Alice, mas, depois de analisar detidamente a situação em terapia, ela percebeu que a ideia não lhe causava ciúmes e que também experimentava esses sentimentos, só nunca havia ousado confessá-los. Na verdade, só uma coisa a preocupava: que Daniel fizesse sexo seguro. Por isso, estabeleceram regras claras. Ambos poderiam sair com outras pessoas, desde que só se vissem uma única vez, nunca trocassem telefones e jamais fizessem sexo sem camisinha.

O cuidado com a saúde dos dois era tanto que ela mesma passou a colocar camisinhas na bagagem dele a cada viagem de trabalho — e, também, nos bolsos das calças, quando Daniel saía para "beber com os amigos". Ele percebeu o movimento de Alice, entendeu como parte das regras que ambos haviam estabelecido e nunca a questionou a esse respeito.

E aí imagino que você já esteja tentando rotular o casamento de Alice e Daniel, como "aberto", não é? Mas não era assim que eles pensavam. Para ambos, a relação era bastante fechada: havia muito amor entre os dois e não entrava mais ninguém em termos afetivos. Quanto ao *status* da relação, eles a consideravam *honesta*! Mas calma. Mesmo em relacionamentos em que o sexo com terceiros não é uma proibição ou tabu, as flores também têm espinhos.

Viveram felizes até o dia em que esbarraram em um impasse emocional. Aconteceu quando chegou o mês de junho de um determinado ano, e com ele mais uma edição do tal festival de cinema francês a que eles sempre iam juntos. Para o casal, era quase a celebração de uma boda. Eles escolhiam juntos os filmes a que iriam assistir, e montavam a programação de acordo com as agendas de trabalho. Como ela era enfermeira, e alguns filmes passavam numa única sessão, nesse ano o filme a que os dois mais queriam assistir era no horário do plantão de Alice. Por esse motivo, nesse dia, ela trabalhou mal-humorada e, não bastasse isso, quando chegou em casa ficou sabendo que Daniel tinha ido ver o tal filme, com outra pessoa. Uma amiga do casal, da qual Alice gostava, e que, como ela sabia, não tinha nenhum envolvimento sexual com ele.

Eles tiveram uma briga enorme, a primeira realmente séria desde que haviam se conhecido. Mesmo no dia seguinte, na sessão que veio ter comigo, ela continuava enfurecida.

> *"Aquele filme era nosso, ir ao festival fazia parte da nossa intimidade afetiva e ele simplesmente não tinha o direito. Sexo com estranhos é um desejo de momento que qualquer um pode sentir, não me importo. Mas isso que ele fez eu senti, sim, como uma traição."*, arrematou Alice.

Esse exemplo é para que você entenda que a traição pode ter vários formatos em um relacionamento, e que isso certamente vai muito além de questões ligadas ao sexo. A verdadeira traição está relacionada à quebra de um acordo. Se esse acordo não é construído, o silêncio dá voz à mentira, ao egoísmo e à falta de responsabilidade com o papel que cada um tem no relacionamento.

É possível que você ache que Alice não tinha motivo para criar uma discussão em torno de algo que para você talvez seja simples, mas ela se sentiu, de fato, traída porque acreditava que, se um dos dois não pudesse ir às sessões, ambos deveriam abrir mão e o filme seria visto em casa, juntos, quando estivesse disponível no *streaming* ou quando passasse na televisão, como já havia acontecido antes. Para ela, um tipo importante de cumplicidade e intimidade havia sido violada.

Lembre-se que grande parte dos problemas de um casal está no que não é dito ou no que não é combinado. Você com certeza já conheceu alguém que passou por um divórcio. O que os casais costumam fazer nesse momento? É a hora da verdade. Eles dizem um ao outro tudo que sempre quiseram dizer, os ressentimentos, as cobranças de tudo que gostariam que o outro fizesse e exigem — finalmente — que as regras do jogo sejam estabelecidas, definindo o que o outro terá direito a fazer ou a ter, em qual hora e em qual dia, principalmente se tiverem filhos. Só que esse "contrato", no fim da relação, vem assinado por um juiz. Infelizmente, a verdade do que as pessoas sentem só acaba sendo usada pelos casais como arma de destruição, quando os dois lados já estão profundamente feridos.

Então, evite os códigos de silêncio, que deixam a relação em um nível muito delicado. E, sim, esse comportamento pode abrir margem para que aconteça uma traição. Numa relação, tudo pode dar certo — menos o que não é combinado.

Outro ponto importante a ser conversado é a ilusão de que na traição só existem consequências para o traidor se o outro descobrir. Isso definitivamente não é verdade. Mesmo que o outro nunca venha a saber da sua mentira, você saberá que traiu e, por isso, pagará um preço bem alto dentro da relação. E o preço será jamais conseguir confiar em quem você ama.

Reflita comigo: se a pessoa que trai vive criando artimanhas para enganar o outro, sempre dá um jeitinho de explicar o telefone fora de área, arruma uma desculpa rápida para aquele WhatsApp fora de contexto, esmera-se em apagar todos os rastros... ela também jamais acreditará em nada que o outro disser.

Quem mente nunca acredita na verdade da outra pessoa porque, mesmo sem perceber, a mede com a régua da própria desonestidade. E vai viver atormentado ou atormentada pela ideia de que o outro possa trapacear de forma igual. O castigo de alguém que comete uma traição é viver achando que é ou será traído a qualquer momento.

Bom, agora que você aprendeu a ver a traição sob outras óticas e a tentar evitá-la estabelecendo regras *conversadas* entre o casal, não existe de fato nada que garanta que você não será traído ou traída, certo? E se o outro quebrar o acordo que *vocês* — não a sociedade — estabeleceram, como reagir? Separei aqui algumas dicas para você avaliar e repensar sua forma de se colocar no relacionamento.

Superando as feridas da traição

▶ O perdão

Ser traído é algo terrível. Você sente um vazio, quase como se tivesse um buraco na alma. Entretanto, não importa se vai colocar um ponto final ou vai tentar reconstruir a relação, a primeira coisa que você precisa fazer é... perdoar. Parece estranho, não é?

Mas eu quero dizer perdoar do jeito certo e não como as pessoas pensam. Perdoar não significa esquecer o que o outro fez, nem querer continuar convivendo com quem machucou você ou rompeu as regras que tinham sido estabelecidas. Na verdade, perdoar não tem nada a ver com o outro. Perdoar é um presente que você dá a si mesmo ou a si mesma, porque você vai se livrar dos sentimentos tóxicos que podem lhe fazer mal.

Perdoar não vai tornar o outro inocente, mas vai libertar você. Sabia que existem muitas formas de se ficar preso a uma pessoa, e que o amor é só uma delas? Você também pode ficar preso a alguém por raiva, ódio, mágoa, desejo de vingança, e por aí vai. São sentimentos negativos, mas que, sim, mantêm você ligado a quem traiu. É a história do veneno que você toma esperando que o outro morra. Por isso, perdoar é tão importante, compreende?

Reconheça que o outro errou e que você foi vítima de uma injustiça, mas, em vez de ficar remoendo formas de castigar o outro, concentre-se em cuidar de você, essa pessoa que está ferida e machucada depois da traição.

Não deixe a deslealdade, o cinismo ou a frieza tomarem conta do seu coração. Prender-se às próprias mágoas, acusando o outro o tempo todo, só vai piorar as coisas; os sentimentos odiosos e vingativos vão destruindo sua alma sem você perceber. Entendeu agora por que a primeira coisa a fazer é perdoar?

▶ Garanta que os sentimentos são seus

Quando alguém é traído, quase sempre a história chega rapidinho aos ouvidos da família e dos amigos. Se for o caso, cuide de ter certeza de que seus pensamentos e sentimentos a respeito dessa traição são realmente seus.

Eu me explico: as pessoas ao seu redor vão tentar lhe dar o maior apoio, e isso é bem bacana, claro. Mas o problema é que, por gostarem de você, elas vão sentir raiva e começarão a detonar quem traiu você, com frases do tipo: "Isso não tem desculpa", "Se você voltar, é porque é muito besta", "Você merece coisa melhor", "Quem trai uma vez trairá sempre", e por aí vai.

Cuidado, porque essa raiva alheia é altamente contagiosa. A única pessoa capaz de saber como você deve se comportar diante de uma traição é você. Porque quem dormia, acordava e dividia a vida com a sua companheira ou com o seu companheiro era você.

Além do mais, as regras do que possa ter sido uma traição são de vocês e têm gradações. Ou seja, uma traição que para você pode ser leve para seus parentes ou amigos pode ser motivo para uma guerra de palpites e intromissões. Por isso, vale pensar a traição dentro do contexto de vida e dos acordos que vocês fizeram, afinal, por mais bem-intencionados que os outros sejam, as escolhas devem ser sempre *suas*.

▶ Autoconfiança sempre

Depois de descobrir que quem você ama quebrou as regras da relação, tente restabelecer sua autoconfiança, evitando qualquer sentimento de culpa.

É comum diante de uma traição cair em pensamentos do tipo, "a culpa é toda minha, eu deveria ter dado mais atenção", "se eu tivesse emagrecido", "se eu fosse melhor na cama". O rosário dos martírios e das culpas autoinfligidos pode ser bem longo e desgastante.

Para, bebê! Esse tipo de pensamento só serve para destruir sua autoconfiança. Se foi seu comportamento, ou sua aparência, ou sua *performance* sexual que fez o outro trair você, em vez de ter traído, ele deveria ter procurado você e conversado sobre o que estava sentindo ou sobre o que o estava incomodando.

Se o outro silenciou os próprios desconfortos e foi tentar resolvê-los rompendo o acordo que tinha com você, a imaturidade foi dele, não sua. Cuidado, sentir culpa porque a outra pessoa traiu você é a coisa mais injusta que você pode fazer consigo mesmo.

▶ A ignorância é uma boa amiga

Mesmo que isso seja uma tentação, não queira saber detalhes de como tudo se passou, ou saber onde, quando e como as coisas aconteciam. Na prática, isso, além de não lhe servir para nada, só vai fazer você sofrer ainda mais.

Procurar saber detalhes da traição pode levar você a desenvolver certos pensamentos obsessivos. Por exemplo, saber que eles se encontravam em um determinado local provavelmente fará você reviver todo o seu sofrimento sempre que passar por lá. Ou ainda pior: pode ser que você comece a sofrer cada vez que passar em um lugar parecido.

Então, mantenha-se ignorante no quesito detalhes. O buraco emocional que você está sentindo já é fundo o bastante.

▶ A traição não foi um ato contra você

"Como não foi contra mim? A pessoa traída fui eu!"

O que eu quero dizer é que a traição não foi planejada para magoar você. A sua dor é a consequência da traição, mas não era o objetivo dela. Quem traiu fez isso por falha de caráter, de comunicação, ou por qualquer outro motivo, mas a sua dor é um efeito colateral da desonestidade do outro.

E por que isso que estou dizendo é importante? Porque é preciso entender que você não é um alvo que o outro escolheu de propósito para atingir. Essa ideia muitas vezes ajuda a organizar os sentimentos dentro de você e bloquear pensamentos destrutivos.

▶ Acredite: sua dor vai passar

Sim, vai passar, mas não espere ficar melhor depois de algumas horas ou dias. Isso vai levar tempo, mas não existe tempestade que dure para sempre. E se até viver a rotina é algo difícil depois que você descobriu a traição, pense em objetivos mais fáceis ou faça apenas a metade do que você fazia antes de essa ferida se abrir em você.

Não existe uma regra universal que defina como a gente deve agir no momento da descoberta da traição, mas uma coisa é certa: depois disso, a relação e os acordos feitos (ou deixados de fazer) precisam ser amplamente repensados e discutidos.

Então, nada de agir tendo como guia o impulso do momento. Quando estamos com raiva, não pensamos direito, e é provável que acabemos fazendo ou dizendo coisas de que depois vamos nos arrepender, ou mesmo que tomemos decisões que mais tarde vão se mostrar erradas.

O ódio é grande, eu entendo, mas tente ter paciência com você mesmo, espere suas ideias entrarem em ordem, seu cérebro voltar a um ritmo normal. Você não precisa se posicionar de forma urgente e definitiva diante de uma traição. O tempo para elaborar isso é seu e cada pessoa tem um ritmo e uma velocidade próprios. Então, não seja capacho da sua raiva e aprenda a esperar por você.

. . .

Quando falamos sobre a importância de garantir que o que você está sentindo é algo realmente seu, tocamos no assunto opinião ou intervenção dos amigos e da família no seu relacionamento. E é sobre isso que vamos falar a seguir. Vamos entender por que isso acontece e o que fazer. Espero você no próximo capítulo.

EXISTE VIDA FORA DO PLANETA RELACIONAMENTO

Há muito tempo tô te paquerando
Te esperando,
Desejando o momento de te amar
Eu sou tua criança,
O teu brinquedo
Nosso amor é segredo
Deixe o povo falar
Se o povo falar, falar
Nem ligue, deixe o povo falar.

JORGE DE ALTINHO, "NEM LIGUE"

ATUALMENTE, a situação é bem corriqueira, sobretudo entre os famosos. A pessoa inicia um relacionamento, posta uma foto nas redes sociais e, minutos depois, começam a pipocar os comentários. Muitos, em geral, são de elogios, mas existem sempre aqueles que dizem coisas como "que horror, você é um papa-anjo", ou "ela é muito gata para você", ou, ainda, "você não deveria postar esse tipo de foto expondo sua vida privada". Pois é, a internet também materializou a opinião alheia — e deixou muita gente sem limites, em nome de uma confusão entre "liberdade de opinião" e falta de educação e de respeito.

O exemplo acima foi para lembrar você que não vivemos em Saturno e que, quando você decidir estabelecer uma relação com alguém, vai ter a interferência não apenas da internet, mas dos amigos e das famílias do casal. Por isso, ser casal é, também, aprender a administrar a vida que existe fora do planeta relacionamento.

Claro que nem sempre a opinião da família e dos amigos deve ser desprezada. Escutar as pessoas ao nosso redor é importante, mas é preciso aprender a não permitir que o mundo ultrapasse certos limites e cabe a cada membro do casal construir essas fronteiras.

É preciso cautela porque nas famílias, entre os amigos e na internet, existem opiniões movidas pelo amor e pela preocupação, mas também pela inveja, raiva, ciúmes e rancores — todas muitas vezes inconscientes.

Por trás da boa intenção, a rivalidade familiar

Costumo receber e-mails de pessoas que viram os vídeos do meu canal Nós da Questão, no YouTube, e acabam sentindo o desejo de compartilhar suas histórias comigo. Esses relatos desempenham um papel importante no relacionamento que tenho com os inscritos, pois acabam servindo de inspiração e norteando os temas que escolho abordar em cada novo vídeo.

Ruth, uma simpática seguidora do canal, escreveu-me contando que estava com problemas por não saber lidar com a tristeza pelo fim do namoro e com a raiva que começava a sentir da irmã, Raquel.

> *(...) Nossa família vive no interior e, por isso, nós duas dividimos apartamento em um bairro próximo à universidade. Quando comecei meu namoro com Assunção, a primeira coisa que fiz foi trazê-lo em casa para apresentar a Raquel. Ela se mostrou feliz, só que, quando ele foi embora, fez questão de comentar comigo: "Ele é mesmo um amor de pessoa, mas eu é que não confiaria em um cara bonitão, rico e que vive sendo paquerado pela mulherada." Até achei graça no comentário, mas confesso que essas palavras me deixaram bem insegura.*

O que Ruth não tinha se dado conta, até então, era de que Raquel, de propósito ou não, havia conseguido plantar em seu coração a primeira semente da dúvida, de várias que ainda estavam por vir.

> *Os meses foram passando, e o meu namoro ia de vento em popa. Fazíamos muitas coisas juntos e, em algumas programações, Raquel também participava.*

> *Só que, aí, teve uma vez que, na hora do jantar, ela me disse: "Escuta, você não acha esquisito Assunção nunca falar em te apresentar a família dele? Fica ligada, irmã. Não quero que ninguém a faça de boba!" Bom, mais uma vez, fiz de conta que não liguei e mudei de assunto.*

No lugar dela, leitores e leitoras, vocês provavelmente também teriam ficado com uma pulga atrás da orelha, concordam?

> *No dia seguinte, acabei perguntando se já não estava na hora de conhecer minha futura sogra. Mas ele desconversou. Depois de muita insistência, ele acabou confessando que tinha cortado relações com os pais, mas não me contou o motivo. Respeitei. Só que minha irmã, que sempre se preocupou comigo, aqui e acolá me dava alguns conselhos que sempre julguei bem-intencionados. Ela vivia dizendo que eu deveria me impor mais, que eu deixava Assunção passar por cima de mim, que ele me manipulava, essas coisas... Raquel chegou a dizer que eu tinha de ficar de olho nele, que a intuição dela não falhava, e que sentia que ele era meio "galinha". Comecei a desenvolver um ciúme louco, ligava o tempo todo para saber onde ele estava, iniciei uma marcação cerrada. Só que ele não aguentou minhas cobranças, e perdeu a paciência. Disse que, se fosse para ser assim, não dava mais.*

Nesse ponto, já é possível ver os efeitos nocivos da intervenção de Raquel no relacionamento. Mas tem mais:

> *Nas nossas brigas, ele sempre falava que Raquel estava envenenando minha cabeça, que as coisas que eu dizia não se pareciam comigo, mas eu a defendia justificando que eu era capaz de pensar por mim mesma. Depois que ele me deixou, eu já não sabia mais se aquilo que eu dizia era de fato a verdade. Não acredito que minha irmã tenha me influenciado de forma mal-intencionada. Não é possível! Mas, sendo bem honesta, tenho de admitir que às vezes desconfiei que Raquel olhava para Assunção de forma diferente. Mas é absurdo demais imaginar que minha irmã estivesse a fim do meu namorado. Eu me sinto perdida, pois já não acredito mais nela. Antes, eu vivia no mundo da Disney, agora estou na mais cruel das novelas. Como lidar com essa dor de ter perdido o homem que eu amava? Como continuar convivendo com Raquel? Por favor, me ajude.*

Concordarei com quem disser que a história é triste, mas discordarei de quem acusar Ruth de ser ingênua. Ela, além de ser uma moça jovem, vivia em um tipo de corredor complexo. De um lado, a família, do outro, os estudos. A coisa era tão complicada que ela ainda não havia tido tempo de descobrir a maldade que existe no mundo — e que também pode existir nas pessoas que amamos ou nas quais confiamos.

Mas o grande equívoco de Ruth foi ter esquecido de se guiar por ela mesma. Em vez disso, ela priorizou as opiniões de Raquel. Se ela iria criar caso porque o rapaz não queria apresentá-la à família dele, que fizesse isso guiada por um incômodo genuinamente dela e não da irmã.

Se fizermos um paralelo com uma história bem conhecida, veremos que Raquel funcionou, na relação de Ruth e Assunção, como a serpente no mito do pecado original, induzindo a irmã ao erro e semeando, com sua inveja, a destruição da felicidade do casal.

Então, querido leitor ou querida leitora, se você quer ser feliz no relacionamento, precisa aprender a se guiar pela sua cabeça. Mas, para fazer isso, você vai ter de abandonar uma certa ilusão sobre as pessoas que estão à sua volta, mesmo que sejam da sua família. É hora de entender que elas têm defeitos e não estão sempre querendo o que é melhor para você ou para seu relacionamento. Mesmo que, repito, muitas vezes isso se passe de forma inconsciente, as pessoas podem, inclusive, querer "roubar" o seu amor de você.

Um dos critérios-chave que deve nortear suas escolhas dentro do relacionamento é sempre se perguntar: "Eu estou feliz na relação com essa pessoa?", "Essa pessoa faz de mim uma versão melhor de mim mesmo?", "Essa pessoa com quem eu estou na cama dá certo comigo?". Se a resposta for *sim*, então escute seu coração e priorize o que é dito entre vocês na relação, e não a língua dos outros.

Ainda pensando na história dessas duas irmãs, outro comportamento importante a adotar é vocês conversarem *sempre* sobre o que consideram assunto só dos dois e o que é público — claro que isso também vale para o que vai ser postado, ou não, na internet. Elejam as coisas que julgam mais particulares, como questões ligadas à rotina sexual, finanças, as regras da relação e até o que consideram, ou não, uma traição. Esses são exemplos de coisas que, de fato, não interessam a ninguém. E torná-las conversa pública só vai servir para fazer com que o relacionamento fique vulnerável a ataques externos.

Entretanto, nas interações com o mundo podem aparecer assuntos sobre os quais nem sempre vocês estão de acordo se deveriam ser mantidos no âmbito privado. Como as fragilidades de cada um, os medos, os defeitos, as brigas que tiveram, os sonhos ou projetos que estão construindo, as crenças políticas, e por aí vai. Todos esses são pontos que um pode considerar que pertence ao privado, mas o outro pode achar que não é problema tornar público.

Por isso, vou lhe dar um conselho: mesmo que ache uma bobagem algo da relação que você está tornando público, proteja sempre a vida do casal e só compartilhe coisas mais íntimas com a família e amigos se estiver acontecendo algo que possa lhe causar algum mal, como violência doméstica, excesso de controle, isolamento social forçado ou doenças. Nesse caso, é importante dividir essas situações nocivas com quem pode ajudar você.

Se se sentir desconfortável quando souber de algo que foi comentado com amigos ou familiares, você tem de *conversar* a respeito o quanto antes.

Mas, claro, isso precisa ser feito sem nenhum tom de acusação. Nada de dizer "Você me ridicularizou na frente do meu irmão", ou "Você tinha de falar que eu estava nessa situação para sua mãe?". Até porque esse tipo de reação acusatória pode causar um desentendimento entre vocês e piorar a situação. Pense que se o outro ama você de verdade ele não teve má intenção nem pensou que falar tal coisa poderia magoar você.

O ideal é você falar coisas do tipo: "Precisamos manter a confiança um no outro e, para isso acontecer, seria melhor que você não conversasse mais sobre tal coisa na frente do meu irmão", ou "Quando você fala sobre nossa intimidade com sua mãe, eu me aborreço porque sinto que nossa vida está sendo exposta".

Quanto mais tranquilo for o aviso para a outra pessoa, maior vai ser a possibilidade de ela levar em consideração o que você sente, e pensar duas, três, quatro vezes antes de compartilhar novamente alguma outra intimidade sua ou de vocês. Ao mesmo tempo, se ficar claro que você disse para alguém algo que não achava que era nada demais, mas se sua companheira ou seu companheiro ficou desconfortável, é hora de você pisar no freio e *pedir desculpas*. Quem quer viver como casal tem de aprender a engolir o orgulho e a vaidade, e se desculpar sempre que pisar na bola. Mesmo que a pisada tenha sido involuntária.

E quando a sogra é intrometida?

Claro que existem sogras maravilhosas pelo mundo, mas vamos combinar que elas, no geral, não têm boa reputação. Tanto que é bastante comum eu receber e-mails de seguidores do canal Nós da Questão que falam especificamente sobre esse tema, pedindo-me ajuda para aprenderem a lidar com o que classificam de "causadoras de divórcios", "megeras", "bruxas intrometidas", e até xingamentos que nem vale escrever aqui. Acompanhe a dificuldade de uma dessas internautas para conviver com a sogra dela.

> *(...) faz dois anos que moro em Belo Horizonte com meu noivo, em uma casa vizinha à da família dele, e tenho vivido um verdadeiro inferno com a intromissão dessas pessoas na nossa relação, mais ainda por parte da minha sogra. Ela vem quase todo dia aqui em casa, falando sem parar dos outros e de si mesma. Adora ser o centro das atenções. Para piorar, minha sogra é aquela pessoa "sempre boazinha", que chora o tempo todo e fala que quer ver todo mundo bem, mas é a primeira a criticar meu jeito de ser. Para a minha sogra, sou o lobo mau da história, porque não permito que ela, nem ninguém dessa família horrorosa, me manipule nem ao meu noivo. Já estou farta de aguentar tantas pessoas que não sabem respeitar o espaço do outro e, por isso, queria que o doutor me desse uma luz, algo que me ajudasse a lidar com esse povo sem limites. Só não me peça para ter paciência com quem não presta, porque já aguentei demais essa gente.*

Vida complicada a dessa moça, não é mesmo? Mas a minha situação diante desse e-mail também não é fácil. Porque não é raro que as pessoas fiquem frustradas — as vezes até irritadas — comigo quando me pedem ajuda para lidar com sogras intrometidas e escutam o que tenho a dizer a respeito.

E essa frustração provavelmente acontece porque as pessoas já chegam cheias de raiva. E esperam que com a minha resposta eu alimente ainda mais esse ódio dizendo coisas como "sogra não presta mesmo", "tem de ser duro com elas", "são cobras em formato de gente" etc. Para, bebê! Por mais detestável que sua sogra seja — e sei que ela pode ser —, esse tipo de postura agressiva contra a mãe de quem você ama só vai fazer mal a você e ao seu relacionamento.

Na apresentação deste livro, eu disse que seus caminhos afetivos estão dentro de você, e serão revelados à medida que você compreender as dinâmicas do seu relacionamento. Afinal, como já falei, conhecimento é poder. Por isso, a minha proposta é que você *compreenda* o porquê de algumas sogras agirem de forma tão intrometida e, às vezes, até agressiva. Tudo bem, sei que compreender não significa desculpar, concordar ou fingir que não sente raiva dela. Mas entender a dinâmica das coisas vai lhe permitir conduzir a situação na direção que quiser. Isso, sim, vai ser ótimo para o seu relacionamento.

Por isso, tente ler neste momento com a cabeça um pouco mais aberta e sem preconceitos. Escute, a sogra intrometida é apenas uma *mãe* que construiu a vida em torno da maternidade e que tenta viver a vida do filho ou da filha. E, aos olhos dela, qualquer pessoa que se aproximar vai ser, pelo menos de início, um intruso. E é por sentir as coisas dessa forma que uma sogra possessiva vai tentar, em casos extremos, tirar você do caminho para que ela continue sendo aquela que ocupa o primeiro lugar no coração do "bebê" dela. No fundo, no fundo, o jeito insuportável da sua sogra é só a falta de confiança que ela tem em si mesma.

Lembra-se da história da bruxa da Branca de Neve? "Espelho, espelho meu, existe alguém mais bela do que eu?" Isso é o retrato de uma sogra. A bruxa mandou o caçador arrancar o coração da Branca de

Neve, para que ela não pudesse nem amar nem ser mais amada que a própria bruxa. No fundo, a bruxa da Branca de Neve era apenas uma mulher frágil e insegura, assim como sua sogra.

Com tudo isso, é preciso, sim, impor limites a essa sogra/mãe. Para isso, combinem que a roupa suja do casal só deve ser lavada entre o casal. Ou seja, acertem de não brigarem entre si nem discordarem um do outro na frente da sogra nem de ninguém. Até porque, se houver algum conflito entre vocês, é bem provável, e normal, que a sua sogra, quer ela admita isso ou não, tome partido pelo filho ou filha dela. E isso só vai aumentar a tensão entre o casal, não é?

Veja este caso, que chegou ao meu consultório. A circunstância agora é inversa. Só uma parte do relato já é suficiente para você entender o que estava acontecendo e para que possamos analisarmos juntos a situação.

Vou chamar a minha paciente de Charlotte. Na época em que chegou ao meu consultório, ela ainda era solteira, o relacionamento estava no começo, mas ela já conseguia perceber que, se realmente quisesse dar o próximo passo rumo a uma união mais duradoura, teria de avaliar se conseguiria lidar com a relação que seu namorado, Kevin, tinha com a mãe dele.

> *Não sei como lidar com essa situação. Faz dois meses que meu namorado resolveu voltar a morar com a mãe e, desde então, ele mudou comigo. Passo o fim de semana na casa da minha sogra, mas Kevin não me dá tanta atenção quanto antes. Parece até que estou sobrando. Conversamos a esse respeito, mas foi pior porque ele entendeu que eu queria afastá-lo da mãe, e não é nada disso. Só quero que quando estivermos juntos ele não fique dando atenção apenas a ela.*

Tivemos de trabalhar nas sessões até Charlotte se dar conta de seu ciúme por ter de dividir Kevin com outra mulher e de que esse sentimento a colocava em rota de colisão justamente com a mãe dele. O caso é que ela esqueceu uma regra bem importante na hora de conviver com as sogras: não se meter na ligação que existia entre Kevin e a mãe dele.

Na verdade, se Charlotte queria aquela relação, ela precisava ser esperta. Criamos, então, estratégias para que ela planejasse momentos em que Kevin poderia ficar a sós com a mãe. Charlotte compreendeu que esses momentos eram importantes para os três. Além de isso arejar muito a sua relação, a mãe de Kevin começou a afastar cada vez mais do coração dela o sentimento de que a nora estaria roubando seu "bebê". Charlotte percebeu, na prática, que, quando passou a dar esse espaço, todo o estresse que ela estava experimentando junto com o namorado foi se acabando, e tentaram encaixar momentos para passar mais tempo juntos quando a sogra precisava sair.

E tem outra coisa que Charlotte aprendeu, que é uma regra de ouro para um bom relacionamento com a sogra: se em algum momento você ouvir seu amor falando mal da própria mãe, escute-o em silêncio! Não concorde, nem discorde, nem bote lenha na fogueira, porque isso pode — e vai — se voltar contra você mais tarde. Só os filhos e filhas têm o direito de falar mal dos pais. Nunca o genro ou a nora.

Por mais insuportável que você ache sua sogra, vocês têm um ponto em comum: amam a mesma pessoa. Por isso, tente entender os conflitos que ela vive como mãe e procure não ficar tão na defensiva. Ainda que ela seja chata ou perversa, tenha sempre na cabeça que ela é apenas uma mãe que não teve maturidade para entender que o filho ou a filha cresceu e agora tem a própria vida e as próprias escolhas.

Mas e se Charlotte não tivesse conseguido manter uma boa relação com a sogra, a ponto de as duas não se suportarem de jeito nenhum? Bom, nesse caso aí seria hora de blindar seu relacionamento, aprendendo a ser indiferente. Até porque se você tem ou vai ter filhos, também vai chegar a hora de você ser a sogra ou o sogro de alguém. E como vai ser? Como você gostaria que seus medos e inseguranças fossem tratados pela pessoa que vai "roubar" seu filho ou sua filha de você? Será que, na ameaça de perder o amor do seu "bebê", você também não vai se tornar alguém insuportável? Pense nisso! Colocando-se no lugar da sua sogra, certamente sua relação com ela vai ser bem mais pacífica.

Como proteger o planeta relacionamento das interferências que vêm de fora

▶ Fique de olho em você

Vivemos de forma coletiva e quando nos apaixonamos por alguém queremos que as pessoas que a gente gosta aprovem nossa escolha. Então, não precisa tentar parar de sentir isso, ainda mais pelo fato de ser bem difícil não se importar completamente com o que os outros pensam ou dizem. Mas vamos administrar esse sentimento para que ele não fique exagerado e atrapalhe o relacionamento.

Cuidado para não deixar que a sua necessidade de aprovação dê à família e aos amigos o poder de sabotar sua felicidade conjugal, mesmo que com ações ou frases aparentemente inocentes. Tenha cautela quando perceber que as opiniões dos outros não estão de acordo com o que você quer para sua relação amorosa.

Lembre-se de que você já é uma pessoa adulta e pode tomar suas próprias decisões. Se você ama sua parceira ou seu parceiro, se ela ou ele faz você se sentir feliz e realizado (ou realizada), então o que seus amigos ou familiares pensam deve ficar em segundo plano. Aprenda a viver sem a aprovação deles. Se acredita que está com a pessoa certa, confie nos seus instintos.

▶ Fique de olho nos pais

Os pais, ou quem nos criou, sem dúvida são nossa primeira referência de amor e, portanto, se você teve uma boa vida em família, é comum que a palavra deles tenha mais peso de influência que a dos amigos. Afinal, você aprendeu, desde criança, que eles sempre querem o melhor para você. O que não lhe ensinaram é que, assim como o amor, os pais também são a nossa primeira causa de frustrações e de raivas. Afinal, não dá para atender sempre ou de imediato todas as vontades do bebê.

É justamente pelo caráter intenso dessa ligação criada desde a infância que os pais acabam naturalmente achando que podem, sim, interferir na vida dos filhos, mesmo depois que eles crescem.

Esse pretexto de que eles querem o melhor para você faz com que os pais não deixem de dar conselhos que você nunca solicitou. E, se existirem netos na jogada, aí é que o bicho pega e a intromissão aumenta. Sim, os pais sempre esperam que você pense e se comporte exatamente como eles acham que é o correto e, em geral, têm muita dificuldade em entender que não decidem mais seu comportamento.

Mas, olhe, o fato de vocês compartilharem do "mesmo sangue" não significa que você tem de agir como eles gostariam, nem seguir os caminhos que eles escolheram. Então, mesmo sendo algo doloroso para você e para eles, é saudável para todos que você se imponha e faça as coisas acontecerem do seu jeito. Afinal, o relacionamento é seu e os erros e acertos também devem ser.

Aceite que você precisa se separar psicologicamente dos seus pais e vice-versa. Porque você só existirá como sujeito na hora em que transgredir, que ousar viver guiado pelos seus desejos e assumindo os ônus e os bônus das suas decisões. Você vai sentir culpa ao dar limites a seus pais? Provavelmente sim. Mas aprenda que, além dessa, há muitas outras coisas na vida que a gente faz apesar do sentimento de culpa. E não, não dá para se sentir de outra forma.

Mas escolha bem as palavras. A gente precisa saber comunicar limites com firmeza, porém sem ser rude ou parecer que está fazendo uma acusação. Por exemplo, se seus pais são daqueles que vivem se convidando para irem juntos em todos os passeios que você planeja com sua parceira ou parceiro, diga a eles que você os ama, mas que algumas vezes você precisa de um pouco mais de privacidade ao lado de sua companheira ou companheiro. Negocie, estabelecendo compensações como "este fim de semana vamos estar sozinhos, mas podem deixar que, no próximo sábado, teremos uma noite de vinhos com vocês aqui em casa e eu faço questão de cozinhar".

Se esse comportamento invasivo não for dos seus pais, e sim dos seus sogros, deixe claro para o seu amor que vocês precisam de mais espaço para ficarem juntos, e peça-lhe que converse com os pais dele sobre isso.

▶ Fique de olho nos amigos

Os amigos são a família que a gente escolhe para compartilhar a vida. São pessoas de quem nos aproximamos e com as quais criamos laços por afinidade, simplesmente porque gostamos da companhia delas. Mas quando entramos num relacionamento, alguns comportamentos acabam sendo naturalmente revistos. A vida de baladas e de encontros diminui, é preciso lidar com o fato de que começou uma nova fase.

Mas isso não quer dizer que você deva simplesmente se isolar por causa disso — aliás, vale ressaltar, esse comportamento é extremamente tóxico. É preciso equilíbrio. Relacionamentos devem servir para ampliar as amizades, e não para reduzi-las, e é muito importante que um participe ativamente do círculo de amizades do outro.

Entretanto, assim como no caso dos pais, também é preciso ter limites para aqueles amigos que querem estar presentes o tempo inteiro e que vivem ansiosos para que você conte sobre o que acontece na intimidade ou no dia a dia do casal.

Os amigos também são vistos muitas vezes como uma tentadora válvula de escape para quando você quiser desabafar sobre as coisas desagradáveis que acontecem na vida a dois. Mas preste atenção, pois esse comportamento pode gerar problemas. Compartilhar brigas ou frustrações momentâneas pode parecer um alívio quando você fala, mas depois que você e seu amor passarem por cima dessa dificuldade, os dois até vão se esquecer do que aconteceu, mas seus amigos provavelmente não. Por isso, mantenha as raivas, frustrações e decepções que tiver na relação entre você e sua parceira ou parceiro. Ou, se achar necessário, dentro do consultório, na hora da análise.

Se você é do tipo de pessoa que tem dificuldade em dizer *não*, atenção maior ainda, porque você vai acabar se sentindo dividido entre sua família, seus amigos e seu amor. Para encontrar o equilíbrio, sem ser negligente com as pessoas com quem você convive, regule o tempo que passa com sua família e com os amigos, integre a pessoa amada nesses dois grupos, mas lembre-se de que vocês dois devem ter momentos exclusivamente do casal, sem nenhuma interferência externa.

Antes que você se dê conta, as pessoas vão perceber seu comportamento com imposições de limites, e vão acabar se acostumando com sua nova dinâmica de vida. E quem for amigo de verdade vai continuar ao seu lado apesar das mudanças.

. . .

> Infelizmente, existindo ou não interferências externas, há relacionamentos que, por uma dinâmica própria do casal, ou se tornam doentios ou já nascem abusivos. E é sobre isso que vamos conversar no próximo capítulo.

QUANDO O PERIGO DORME NA SUA CAMA

Fui à feira dos pássaros
e comprei pássaros
para ti,
meu amor.
Fui à feira das flores
e comprei flores
para ti,
meu amor.
Fui à feira das ferragens
e comprei correntes,
pesadas correntes
para ti,
meu amor.
E depois fui à feira dos escravos
e te procurei
mas não te encontrei,
meu amor.

JACQUES PRÉVERT, "PARA TI, MEU AMOR"

AMOR, segurança, paz, tranquilidade... são os sentimentos que as pessoas mais querem quando buscam um relacionamento. Imagine então se você percebesse que, do nada, a relação dos seus sonhos não é tão saudável quanto pensava. Pode ser algo extremamente doloroso entender que a pessoa que você ama manipulou você, trapaceou, fez jogos psicológicos e, em casos extremos, usou de violência física.

É claro que estamos falando de relacionamentos que se tornaram venenosos ou abusivos e, nesse quesito, só faço uma ressalva antes de continuarmos: as mulheres normalmente são o lado mais castigado dessa história. Não estou negando a existência de homens que sofrem nas mãos de companheiras tóxicas ou manipuladoras, é claro que isso existe e os temas de que trataremos aqui serão úteis tanto para as leitoras quanto para os leitores.

Comece entendendo que existem muitos tipos de relacionamento abusivo e que, quando se chega ao ponto da violência física, já se passou por etapas tóxicas e perigosas — e que, às vezes, aconteceram de um jeito tão sutil que a vítima nem ao menos percebeu em que tipo de relacionamento estava mergulhada. Se assim fosse, a pessoa pularia fora enquanto os laços afetivos ainda estivessem frouxos.

Os vínculos que são criados e que mantêm uma relação saudável, como confiança, lealdade, empatia e acolhimento, são bem diferentes das conexões estabelecidas numa relação abusiva. Muitas vezes, o casal que está em um relacionamento venenoso se mantém unido pela insegurança, e pelo medo que alimenta essa insegurança. E nem estou falando da vítima: o agressor normalmente é inseguro, e seu receio de parecer fraco faz com que seja abusivo para manter um senso de controle sobre a relação, colocando-a no modelo que é satisfatório para ele.

O irônico disso tudo é que a vítima também tem uma insegurança doentia e, por isso, aceita, às vezes sem perceber, as condições do agressor. Tudo em nome de ser "amada". Ou seja, existe no agressor uma necessidade doentia de controlar e ameaçar, enquanto a vítima é alguém que não se imagina sendo feliz sem uma pessoa "protetora" por perto e que, por esse jeito inseguro, vive um eterno pavor de não ser amada ou de ser abandonada.

Dessa forma, vítima e agressor estão tão ligados e envolvidos que fica difícil para muita gente perceber que está dividindo a própria cama com o perigo. Esse cenário é perfeito para que a relação tóxica possa começar com comportamentos que erradamente passam por "normais" ou que denotam "excesso de zelo" na nossa cultura. São expressões como "não vista essa roupa", "melhor se afastar dessas suas amigas (ou amigos)", "você deveria dar menos atenção à sua família e mais à nossa relação", que, aos poucos, vão ganhando vulto. De repente, o outro já está lhe falando em um tom de voz mais alto e infernizando você psicologicamente.

Parece até que estou exagerando, não é verdade? Para você entender que não é esse o caso, veja só este e-mail de mais uma seguidora do canal Nós da Questão, que me escreveu em busca de ajuda.

> *Há dois anos estou em um relacionamento turbulento. No começo, quando estávamos nos conhecendo, ele me viu descendo do carro de um amigo da faculdade, com quem eu havia pego carona. Até então, a gente ainda não estava namorando, só ficando, mesmo assim ele veio, irritado, tomar satisfação comigo por causa da carona. Eu me*

desculpei, e aparentemente tudo ficou bem. No começo, ele era superamável. Com dois meses de namoro, já tinha me ganhado pela gentileza e pela bondade. Até que, um dia, estávamos saindo do cinema e um rapaz, acho que por puro acaso, olhou para mim. Estávamos de mãos dadas e ele torceu meus dedos com tanta força que cheguei a ficar com o mindinho bem machucado. Hoje, sei que ele me agrediu, mas no dia apenas acreditei que tinha apertado demais minha mão sem querer, porque havia ficado nervoso de ciúme. Com quatro meses, ele começou a me pedir para bloquear, das minhas redes sociais, os rapazes com quem eu já havia ficado ou que já havia namorado. Ele sabia quem eram porque, no começo, perguntava coisas da minha vida e eu contava tudo achando que, se eu fosse 100% transparente, ele confiaria em mim. Na verdade, eu já estava apaixonada e nem me toquei de que estava sendo manipulada. Depois de mais algum tempo, para evitar confusão, encerrei minha conta no Facebook porque ele implicava com as fotos que eu postava. Ele também me fez perder amizades com homens e mulheres, me privava até de ir à casa dos meus avós, porque eu só tinha tempo nos finais de semana e ele dizia que não era justo com nossa relação. O estranho é que eu sempre me achava a errada e ele sempre conseguia me fazer sentir culpa.

Agora que acordei para a vida, já se passaram dois anos e não consigo mais sair dessa situação. Quando digo que não quero mais, ele me ameaça de morte, diz que se me vir na rua me atropela, ou que vai atrás de mim para me bater onde me encontrar e na frente de qualquer pessoa. Ainda gosto dele, mas acho que isso é porque estou presa em momentos e lembranças das coisas boas que

> *vivemos juntos. Acho que isso me fez virar refém dessa situação. E o pior: sinto muito ciúme de imaginar ele me trocando por outra, porque acho que todas as mulheres são melhores que eu. Por favor, me ajude, pois quero muito me livrar dessa situação.*

Para que não se perca em situações como essa, acho importante ajudar você, leitor e leitora, a identificar relações abusivas, de modo que saiba se está vivendo uma e como sair dela. Vamos começar falando dos comportamentos que, quando identificados em pelo menos um dos parceiros, já devem servir de sinal de alerta.

Proteja-se dos comportamentos abusivos

Tem quem só saiba se relacionar medindo forças com o outro. Ou seja, gente que não consegue compartilhar o poder dentro do relacionamento e sempre vai tentar persuadir a companheira ou o companheiro a fazer da forma que quer, porque precisa se sentir exercendo o poder, como se isso fosse algo natural. Vou dar uns exemplos bem corriqueiros para você ficar de olho: se o outro marcar um encontro com você, o encontro vai ser sempre no local que ele quer, o horário do cinema sempre o que ele escolher, e a viagem de férias, adivinhe... aquela que ele sempre sonhou.

Sem que você perceba, a outra pessoa, que não sabe dividir o poder, sempre acaba levando você a fazer tudo de um jeito que não é o seu. E o pior é que muitas vezes até vai convencer você de que a escolha foi sua. Mas não foi não, e você precisa pôr atenção nisso.

A pessoa que tem tendências abusivas também costuma se mostrar como muito charmosa, sedutora, carismática e popular. Nesse caso, é importante você perceber que essas não são qualidades que existem de fato no outro, mas sempre fazem parte de um papel que é usado para conquistar você, de modo que baixe suas defesas psíquicas e se torne afetivamente vulnerável.

E estando você aberto ou aberta a se entregar, a tendência é que acabe enredado ou enredada em um jogo de dominação em que a outra pessoa vai usar algumas armas. Uma delas é a culpabilização. O lado abusador vai toda hora querer se aproveitar de pequenas falhas, ou remorsos que todos nós temos, e vai fazer você se sentir um lixo de pessoa. Perceba se está vivendo ao lado de uma pessoa que culpa você o tempo inteiro pelas coisas, e sempre desvaloriza tudo que você se esforça para fazer de forma certa. Se isso acontecer com frequência, abra o olho.

Num relacionamento desse tipo, o abusador também nunca assume a responsabilidade ou a culpa por nada que der errado. Mesmo que a responsabilidade objetivamente não seja sua, ele vai inverter o jogo criando argumentos apoiados em fatos que vocês já viveram, ou vai dizer que você não fez tal coisa, mas que "deveria ter feito". E, mais uma vez, você vai se perceber uma pessoa "pequena" — mas, ao mesmo tempo, vai se sentir feliz por estar ao lado de alguém tão esperto e que protege você dos erros que cometeria se estivesse só. Que engano!

Chamo a atenção também para um comportamento detestável, mas que é outra arma forte para manter a dominação sobre você: a mentira. Dentro de uma relação tóxica, a outra pessoa mente para você com uma facilidade enorme. E a coisa é tão bem articulada que, mesmo que a mentira fique na cara, ela vai morrer negando, porque negar o que fez é também uma ótima forma de fazer você duvidar de si mesma ou de si mesmo.

E, na tentativa de transformar você em uma pessoa confusa, insegura e dependente do outro dentro da relação, o abusador nunca vai ser claro na forma de se comunicar. É o tipo de pessoa que usa falas escorregadias e sempre deixa tudo meio vago de modo a lhe confundir. Tem gente que está tão mergulhada na forma doentia do relacionamento que vai duvidar de si mesma, até começar a se perguntar: será que eu de fato vi isso? Será que eu realmente disse aquilo? Ou seja, você vai viver sempre se culpando por tudo de ruim na relação, até pelas agressões. Entendeu como as pontas da rede que prende você vão se interligando sutilmente, sem que você perceba?

As pessoas podem, sim, ter um ou outro desses comportamentos. Entretanto, preste atenção ao conjunto dos movimentos do outro dentro da relação. Só assim você vai saber avaliar se seu relacionamento está, ou não, se transformando em algo venenoso e abusivo.

O anjo mau

Para você não ficar pensando que todo mundo que vive um relacionamento tóxico tem um companheiro ou companheira escancaradamente hostil, saiba que, em boa parte dos casos de relações abusivas que chegam ao meu consultório, o companheiro ou companheira não apresenta nenhum comportamento ameaçador. Na verdade, existem pessoas com perfis formados por uma série de características dissimuladas, mas traiçoeiras. Gente que parece muito boazinha, mas que acaba usando essa "bondade" para se camuflar e exercer uma enorme agressividade. É o que chamamos de personalidade passivo-agressiva. Ou, dizendo de uma forma bem simples, são os verdadeiros anjos maus.

Você não imagina o estrago que esse tipo de "anjo" pode fazer na sua mente. Por exemplo, você começa a refletir sobre sua vida e seus comportamentos e passa a achar que não é uma pessoa tão eficiente quanto imaginava. Ou, de repente, começa a ficar triste por entender que é uma pessoa insegura e "descontrolada".

O caso é que muitas vezes esses sentimentos que você está jogando sobre você não são verdadeiramente seus. Foram plantados na sua cabeça pelo seu companheiro (ou companheira) passivo-agressivo. A coisa toda acontece muito de mansinho porque o "anjo mau" parece sempre muito "bem-intencionado" e acaba, de forma bastante delicada, sabotando sua vida emocional e, às vezes, até profissional.

Vou dividir com vocês mais um caso que recebi em consultório, o de um casal que chamaremos de Sara e Martin, e que vai mostrar como pode ser ruim a dinâmica de uma relação com uma pessoa passivo-agressiva.

Quando Sara veio me procurar, além de se sentir confusa, sua autoestima estava fortemente abalada.

"Vivo há nove anos com Martin e sinto que nosso amor continua forte como sempre foi. Ele diz que o problema das nossas brigas sou eu, e tenho de concordar com isso porque ele realmente não discute comigo. Acho que peço coisas demais, exigindo do coitado mais que ele pode me dar. Ele é um homem muito bom, nunca me nega nada quando peço ajuda em alguma coisa, mas na maioria das ocasiões ele não faz o que me prometeu e sei que não é culpa dele. Às vezes, é falta de tempo ou ele simplesmente não consegue, por algum outro motivo, cumprir com o prometido. Eu é que deveria ser mais madura e compreender que o importante é que ele tentou, mas, em vez disso, acabo descarregando minha raiva nele. Então, ele se cala e aí eu fico mais louca ainda com aquele silêncio. Na semana passada, foi nosso aniversário de casamento e fiz um jantar especial com camarões apimentados, que ele adora. Martin reparou em cada detalhe, elogiou meu vestido, as velas e a decoração, mas vi que parecia estar comendo à força e, quando perguntei, ele explicou, constrangido, que eu havia colocado muita pimenta e que o estômago dele iria doer no dia seguinte. Para o meu paladar, a comida estava boa, mas eu disse que a gente poderia pular para a sobremesa ou eu, em dez minutos, improvisaria algo rápido na cozinha. Mas o coitado, para não me fazer uma desfeita, comeu os tais camarões até o fim e ainda se desculpou pelo comentário. Eu fiquei péssima e ao final fui dormir chorando. Coisas assim se repetem com tanta frequência que acabo explodindo, e ele, como já disse, se fecha em um muro de silêncio para não brigarmos. Tenho de mudar essa minha maneira de ser. Martin também me fez perceber que eu já poderia ter subido de cargo na empresa onde trabalho, mas ele acha

> *que minha promoção não acontece por conta desse meu jeito, que ele chama de impaciente e imediatista. De vez em quando, ele me diz coisas que me deixam muito mal, mas depois reflito e penso que ele está certo e só quer me ajudar. Acredito que meu temperamento me impede de ser boa em tudo que tento fazer. Na verdade, acho que faço tudo errado e quero ser uma pessoa melhor.*

Do que Sara não se dava conta, mas que foi ficando claro para ela à medida que íamos analisando outros materiais que ela trouxe nas sessões seguintes, é que Martin tinha uma personalidade passivo-agressiva e ela precisaria, em vez de destruir sua autoestima, administrar seu relacionamento com esse "anjo mau".

Pessoas como Martin sempre parecerão apagadas, bem-intencionadas e, sobretudo, vítimas na relação. Não é à toa que, ao falar dele, Sara usou o adjetivo "coitado" mais de uma vez em sua narrativa. O que ela não sabia é que o grande trunfo da pessoa passivo-agressiva é a capacidade de nunca assumir a responsabilidade por nada e deixar quem está ao seu redor se sentir culpado, insuficiente ou incompetente. Os passivo-agressivos sempre vão parecer muito submissos à vontade do outro, e tudo vai levar a pensar que eles querem evitar conflitos. Só que, no final das contas, o "anjo mau" vai minar sua autoconfiança, fazendo com que as coisas sejam sempre da forma como ele quer.

Claro que a vontade de evitar conflitos em uma relação é algo positivo, necessário, e que todos nós buscamos conseguir — às vezes até ficando em silêncio, como fazia Martin.

Então, para evitar que você saia generalizando as coisas, vamos começar entendendo que o comportamento passivo-agressivo aparece sobretudo quando a pessoa tenta se fazer de vítima, para você se sentir culpado, ou quer que você se sinta inseguro ou insegura no relacionamento e na vida. No final das contas, o passivo-agressivo sempre parecerá uma pessoa super "bem-intencionada". Mas não se engane, porque por trás dessa constante boa intenção existe uma forte agressividade dissimulada.

É aquele tipo de companheiro ou companheira que dá a famosa puxada de tapete e derruba você, mas depois de uma manipulação tão bem feita que você acaba achando que é responsável pela própria queda.

Outro comportamento bem comum nos relacionamentos que usam a agressividade passiva é dizer coisas que culpabilizam ou desestimulam você. Que foi exatamente o que Martin fez ao sugerir a Sara os motivos pelos quais ela não conseguia uma promoção.

"Ah, mas quer dizer que não posso dar conselhos construtivos à pessoa que amo?" Para, bebê! Não é nada disso que estou falando. Acontece que o comentário de Martin, além de só colocar Sara para baixo, era irreal na medida em que ele não tinha nenhuma informação concreta do que se passava na dinâmica interna da empresa onde ela trabalhava. Se você vai criticar construtivamente quem ama, faça isso com base em motivos reais e não no seu achismo. E o faça, apenas, se isso for de fato ajudar o outro, e não apenas para deixá-lo se sentindo insuficiente.

Também tenha atenção porque, se estiver em um relacionamento com uma pessoa agressiva-passiva, saiba que, embora não pareça, ela vai guardar ressentimento de tudo. É aquele tipo de pessoa que diz que perdoa qualquer deslize seu, mas pode esperar: ela sabe muito bem que pode usar isso contra você na primeira oportunidade ou em seus momentos de fraqueza.

Às vezes, você até se sente culpado ou culpada por estar com raiva, ou fazendo mau juízo de uma pessoa que aparentemente é sempre tão boa e disponível. Preste muita atenção, porque as pessoas passivo-agressivas são extremamente sutis e você pode não perceber que, por trás da bondade delas, se esconde um ódio feroz que coloca você nesse relacionamento abusivo sem que perceba.

Se tudo que lhe disse sobre relacionamentos abusivos fez sentido, e se você identificou que está ligado ou ligada a uma pessoa tóxica que só faz destruir você física e/ou emocionalmente, é hora de virar o jogo e aprender como se livrar dessa situação.

Como se livrar do perigo que dorme na sua cama

▶ O amor não move montanhas

Começo já de cara com o que acredito que seja provavelmente a coisa mais difícil: compreenda que o seu amor não vai mudar essa pessoa, não vai tornar o abusador alguém melhor, nem vai fazer com que ele ou ela descubra o seu valor. Essa pessoa jamais vai saber ter um relacionamento igualitário, porque nunca houve uma troca verdadeira entre vocês, mesmo que ele lhe tenha feito acreditar, por meio da sedução típica de um manipulador, que ele era a pessoa ideal e que você era a criatura mais especial e mais amada do planeta.

Portanto, tome consciência de que essa pessoa não é quem você imaginava, que essa relação sempre só destruiu você psicologicamente e que esse amor que ele ou ela declara nunca existiu da forma como você sonhava.

Comece derrubando, dentro de você, ideias como a de que o amor move montanhas e que o bem vence o mal, porque, quando estamos falando de uma relação com uma pessoa manipuladora, não é assim que as coisas funcionam. Na realidade, o seu amor, em vez de transformar alguém abusador numa pessoa melhor, só vai deixar você cada vez mais vulnerável.

▶ A culpa não foi sua

Quando você conseguir se perceber vivendo uma relação tóxica assim, com certeza vai questionar o porquê de ter entrado numa situação dessas. E, infelizmente, jamais vai encontrar uma explicação para essas coisas que viveu. Então, pare de se culpar dizendo que a relação não deu certo por sua causa. Na verdade, você sente essa culpa porque o outro, por meio de manipulação e terrorismo psicológico, fez você se sentir assim.

Sei que é difícil, mas você vai ter de passar para uma próxima etapa na sua vida sem ter as explicações racionais de que precisa. Porque a explicação é uma só: quem abusa física ou mentalmente de alguém, dentro de um relacionamento, é uma pessoa doente e infeliz.

Quando nos damos conta de que fomos usados como objetos, sempre tendemos a achar que a falha foi nossa.

Mas o que de fato aconteceu é que você era uma pessoa aberta para o amor, e foi justamente nessa abertura que o abusador encontrou o espaço que precisava para seduzir você e se fazer visto como o grande norte afetivo que você buscava. Se existiu uma falha em você, foi estar verdadeiramente disponível para o amor. E isso, vamos combinar, não é uma falha.

▶ Recupere sua força

Quem vê uma relação tóxica de fora tende a achar que a pessoa que foi vítima é fraca, ingênua ou até mesmo de pouca inteligência. E não, não é nada disso; qualquer um pode passar por uma situação dessas.

Por isso, é importante que você comece a perceber que, mesmo sem um amor ao seu lado, você é uma pessoa forte. A sua opinião, a sua forma de ver e de viver a vida devem ser sempre suficientes para você. Pare e pense em tudo que sempre foi capaz de fazer antes de entrar nessa relação doentia: você tinha mais amigos, sua vida social era bem diferente, você talvez tivesse mais contato com a família, você se divertia de um jeito bem mais interessante, enfim... Você se sentia de bem consigo mesmo ou consigo mesma e sorria sem medo. Saiba que tudo isso ainda está dentro de você, só precisa de reativação.

Em outras palavras, retome a confiança em você e na sua autonomia. É bem provável que esse relacionamento abusivo tenha destruído sua autoconfiança, então é hora de retomar seu rumo e reconquistar aquele seu amor-próprio que alguém ousou arrancar de você.

▶ Tome consciência do seu valor

Procure se sentir bem sendo quem você é e, mesmo vivendo um relacionamento que lhe fez tão mal, tome consciência de que você deu o seu melhor. Reencontrar o seu valor é fundamental na hora de se libertar de uma relação difícil. Portanto, comece recuperando sua autoestima. E uma boa forma de fazer isso é não se comparando com ninguém.

Tem um estudo feito pela Universidade de Waterloo, no Canadá, em 2016, que mostrou que pessoas que vivem se comparando a outras normalmente têm uma péssima imagem de si mesmas. Ou seja, sua autoestima está diretamente ligada à aceitação que você tem dos seus defeitos e das suas qualidades. Então, é hora de aprender que comparar o que você verdadeiramente é por dentro com o que os outros parecem ser aos olhos de quem os vê por fora é algo que só vai lhe fazer mal, além de ser bastante injusto com você.

▶ Um passo de cada vez

Deixar uma pessoa tóxica não significa necessariamente que você já tenha se separado dela. Você começa a deixar alguém que lhe faz mal a partir do momento em que se dá conta do que está vivendo ao lado dessa pessoa. O simples fato de você estar lendo estas dicas provavelmente significa que você já se deu conta de que essa relação que vive não é normal e que esse sofrimento que vem consumindo você não existe entre pessoas que se amam de verdade. Você só não pode ser alguém precipitado e atropelar as coisas na hora de colocar um ponto final no relacionamento. O ideal é ir criando estratégias para isso. Portanto, a separação propriamente dita vai levar um tempo. Siga na sua velocidade, vá dando um passo de cada vez até que tenha construído a estrutura de vida necessária para pular fora desse relacionamento abusivo.

▶ Escreva um e-mail

Se você terminar um relacionamento abusivo, não há por que se recriminar caso sinta saudade. Isso é absolutamente normal. Afinal, além da vida de vocês também ter tido bons momentos, independentemente de o outro ser tóxico e manipulador, você investiu afetos e sonhos nessa relação, e retirar toda essa carga afetiva, por mais nocivo que o relacionamento tenha sido, não é trabalho fácil para ninguém.

Para ajudar você a resolver esse impasse, imagine que alguém do seu círculo de amizades lhe contou que saiu de uma vida a dois abusiva, mas que está sentindo a ausência da pessoa com quem convivia. Então, escreva um e-mail para esse amigo ou amiga e coloque lá todos os conselhos e tudo que você lhe diria sobre essa dificuldade pela qual está passando. Quando acabar, envie o e-mail para você. Talvez você se surpreenda com o efeito que isso possa ter sobre seus sentimentos.

▶ Permita-se sentir raiva

Compreenda que uma relação abusiva é algo psicologicamente muito violento, e é bem provável que você nunca tenha sido capaz de expressar, de forma adequada, sua raiva. Fazer isso agora não significa destruir nem agredir ninguém, e sim conectar-se com seus sentimentos para se proteger das investidas psicológicas do abusador.

Ele ou ela sempre lhe fez acreditar em coisas como você ser uma pessoa má, revoltada, descontrolada, louca, histérica, que vivia inventando histórias para desestabilizar a relação. E, embora você tentasse se defender e manter o equilíbrio diante dessas investidas e manipulações, se o relacionamento durou algum tempo foi porque, nesse jogo, em algum momento você acabou se calando e desconectando a própria raiva por medo de levar a culpa por tudo que vinha acontecendo de ruim na relação.

E não é raro que a raiva se volte contra quem a sufoca. Por isso, dirija sua raiva para quem, de fato, a merece. Atenção a isso.

▶ Seja tolerante com você

Existem muitas pessoas que largam uma relação tóxica, mas acabam voltando para ela. Não se censure nem se condene por isso. Mesmo que você já tenha voltado uma, duas, três vezes para a situação da qual vem tentando escapar, tenha paciência com você e compreenda que, a cada retorno, a cada recaída, você volta um pouco mais forte e, portanto, mais livre.

▶ O amor saudável existe

Você pode recomeçar a vida ao lado de alguém que seja capaz de amar você verdadeiramente. Nem todas as pessoas no mundo são desajustadas ou venenosas e as coisas que deram errado nessa relação que tanto machucou você não aconteceram por culpa sua. Você é e sempre foi uma pessoa disponível para o amor.

O abusador é o responsável pela loucura que vocês viveram. Por isso, coloque-o no lugar onde deveria ter ficado desde o início: longe de você, longe da sua vida, esquecido no seu passado.

Você nasceu para vencer e ser feliz, então, livre-se dessa pessoa que já lhe causou tantas feridas e recomece sua trajetória agora. Existem muitos amores no mundo, aqui fora e dentro de você, à sua espera. Não perca mais tempo.

. . .

> Terminar um relacionamento não é algo fácil. Mesmo se você achar que é a melhor coisa a fazer, sempre vai existir um preço a ser pago. Haverá perdas, mas também ganhos que de início não vai ser possível prever. E você com certeza vai precisar de ajuda quando tomar essa decisão. Portanto, vamos conversar no próximo capítulo sobre como lidar bem com esse processo de separação, seguir em frente e ser feliz. Espero você lá!

SEPARAÇÃO É SUPERAÇÃO

Se um dia você for embora
Não pense em mim
Que eu não te quero meu
Eu te quero seu
Se um dia você for embora
Vá lentamente como a noite
Que amanhece sem que
A gente saiba
Exatamente
Como aconteceu

MILTON NASCIMENTO, "MEU MENINO"

TODO mundo vai acabar sempre se separando de quem ama.

É bem provável que você tenha se espantado ao ler, logo na primeira linha deste capítulo, uma sentença tão crua e determinista. Talvez você imagine que eu me refira ao fato de que mesmo aquelas relações felizes e saudáveis, que duram anos, em algum momento vão terminar em separação porque um dos dois vai morrer primeiro. Isso é verdade, mas ainda não é disso que estou falando. Tenha calma, bebê! Nossa conversa está só começando, e você vai entender direitinho o que quero dizer com essa frase inicial condenatória.

Você já deve ter ouvido o ditado popular que diz: "Para se conhecer uma pessoa, é preciso ter comido uma saca de sal com ela". Ou seja, é preciso muito tempo para se conhecer alguém.

Mas o curioso é que existe uma "pegadinha" nesse dito popular. Afinal, com o passar dos meses e anos, você não vai mais estar casado ou casada com a pessoa que encontrou no início do relacionamento. Ela já vai ter passado por muitas experiências e transformações, e você vai continuar sem conhecer, em sua totalidade, a pessoa que escolheu para viver ao seu lado, porque a cada pitada de sal ela vai ser outra — física e emocionalmente.

Entenda o que quero dizer com isso. Por mais que eu ame alguém e divida minha vida com esse alguém, a relação só vai ser de fato duradoura se eu aprender a me separar de quem a pessoa deixou de ser e renovar os meus votos sabendo amar quem ela se tornou. Portanto, os relacionamentos, por mais felizes e estáveis que sejam, são feitos de constantes separações e superações.

Claro que existe um núcleo imutável que lhe permite ter uma identidade e saber que você não é a pessoa que está ao seu lado. Mas pense em quantas vezes você já se surpreendeu ao tomar certas atitudes que antes jamais imaginava que fosse capaz. E aquelas coisas do seu passado que você olha e diz: "Meu Deus, como pude? Eu jamais faria tal coisa novamente. Essa pessoa não sou eu". Isso acontece porque a gente experimenta, aprende, discute, briga, ama, existe e se transforma incessantemente.

Então, separar-se e reconciliar-se com você e com o outro é algo constante e bastante comum no relacionamento. Só que é preciso ter alguma maturidade para que a relação não se perca e que esses novos "eus" continuem a se amar, apesar de todas as reconfigurações mútuas.

Para conversar com você sobre esse assunto, andei vasculhando minha caixa de mensagens do Nós da Questão, buscando um caso que ilustrasse o que estou dizendo. Acho que esse e-mail de uma das seguidoras do meu canal no YouTube é perfeito para isso. Vamos vê-lo juntos.

> *Faz um tempo que o acompanho e a minha questão é a seguinte: reencontrei um amor do tempo de faculdade. Durante o curso, namoramos por dois anos, mas assim que se formou ele teve a sorte de receber uma proposta de emprego em outra cidade, e tivemos de interromper nosso relacionamento. Não foi fácil. Embora eu nunca tenha deixado de amá-lo, nossas vidas tomaram caminhos bastante diferentes. Três anos se passaram, perdemos o contato, mas pouco tempo atrás aconteceu de eu mudar de cidade e, por acaso, voltamos a nos reencontrar. Foi uma surpresa incrível! Era como se o nosso amor do tempo de faculdade tivesse reacendido instantaneamente. E senti que isso era recíproco. Marcamos um café para bater papo e matar*

as saudades. Conversamos sobre as coisas da época de faculdade, dos amigos que fizemos, das aventuras que tivemos... Mas o que me chamou a atenção foi que eu tinha conseguido reconhecer nele aquele mesmo jeito de olhar para mim enquanto eu falava... era exatamente como na época em que namoramos. Ele contou que se casara, tivera dois filhos, mas as coisas não tinham dado certo, e os dois acabaram se divorciando. Bom, se o caminho já estava livre, por que não tentar de novo, não é? E aí, depois do segundo café, decidimos retomar nosso relacionamento. Estamos namorando oficialmente faz dois meses, e é aí que não consigo entender o que está acontecendo. Parece que as coisas não estão dando certo. Estamos mais velhos, claro, mas somos as mesmas pessoas! Nossos valores, gostos, temperamentos, nossa religiosidade, que sempre foi um ponto de ligação forte, o desejo sexual, tudo continua igual. Mas é como se eu o olhasse, porém não fosse mais ele. Não é nada na aparência física nem no comportamento dele. Realmente não sei explicar. Ele também começou a assistir a seus vídeos e gosta muito. Se puder me orientar lhe agradeço, pois sinto que nos amamos, acho que o destino está nos dando uma segunda chance para sermos felizes, e não quero que a gente se separe novamente.

Quero chamar sua atenção para duas frases deste e-mail:

"Embora eu nunca tenha deixado de amá-lo"

O homem que ela continuou amando era uma pessoa que não envelheceu, não se transformou, não viveu experiências. Ou seja, um homem que só existia dentro dela nas boas lembranças que ela carregava. Na verdade, ela nunca havia deixado de amar uma *fantasia*, e esse foi o primeiro grande problema dessa história. Lembra quando, no capítulo 2, eu contei para você, leitor ou leitora, sobre a primeira etapa do relacionamento (a da fusão), em que idealizamos a pessoa que a gente acabou de conhecer, e só depois, na etapa da diferenciação, é que descobrimos que a realidade não corresponde exatamente às nossas expectativas? O que dá a entender nesse relato é que a moça ficou fixada nessa primeira etapa e ainda via o rapaz sob a ótica das idealizações que jogara sobre ele no tempo de faculdade.

"Estamos mais velhos, claro, mas somos as mesmas pessoas"

Ainda que ela não tivesse mudado física, psicológica e emocionalmente (o que seria impossível), perceba que, presa à fantasia expressa na frase anterior, ela não conseguia considerar coisas importantes na vida desse homem, como os filhos dele que haviam chegado e o divórcio que agora ele carregava no currículo das experiências amorosas. Seria quase ingenuidade acreditar que alguém passasse por esses fatores e fosse a mesma pessoa.

O que essa moça teria de entender era que, se quisesse uma nova chance com o namorado, ela precisaria se separar dele. Separar-se daquele jovem que conhecera no tempo de faculdade, olhar de forma mais realista esse homem que reapareceu, e se dispor a abraçar, suportar e amar as transformações desse novo-velho pretendente.

. . .

No caso em questão, as coisas ficam relativamente fáceis de serem percebidas porque estamos olhando para transformações que aconteceram entre os integrantes de um casal que ficaram distantes por alguns anos. E minha ideia foi mesmo essa, lhe apresentar uma situação que servisse de "lente de aumento". Mas compreenda que, no seu relacionamento, mesmo que tudo esteja bem e que vocês nunca tenham ficado separados por um grande período, afastamentos e aproximações acontecem com uma frequência que talvez você nem perceba. São as mudanças constantes de gostos, valores, visões de vida, modo de se comportar, sexualidade e até alguns traços de personalidade, que fazem com que o casal, na maior parte das vezes de forma inconsciente, tenha de viver microsseparações ao mesmo tempo que elabora interna e silenciosamente a reconciliação com a nova pessoa na qual o outro se transformou.

Isso acontece durante o fluxo da vida, em diversas etapas do relacionamento, e serve para lhe garantir que, em meio a microsseparações e microrreconciliações, o amor bom e verdadeiro possa resistir às transformações que o tempo faz acontecer.

Separação sem superação

Agora que você entendeu o que eu quis dizer com a primeira linha deste capítulo, é hora de falarmos sobre quando, por diferentes motivos, essa dinâmica de separações e superações se torna inviável, a ponto de o casal não conseguir mais continuar o relacionamento.

Essa é uma dor tão sofrida e universal que em Zagreb, capital da Croácia, existe o Museu dos Relacionamentos Terminados. Lá, você encontra objetos pessoais enviados por casais de diferentes partes do mundo (ou por um dos lados do casal) que marcaram o fim do relacionamento deles. Ao lado de cada peça, um texto explica a quem ela pertenceu e como aquele objeto esteve envolvido, real ou simbolicamente, no término da relação. As "obras de arte" são variadas. Curioso, não?

Tantas histórias diferentes fazem a gente ter a certeza de que, independentemente de como um relacionamento acaba, o fim nunca é algo com que é fácil se lidar.

Afinal, você permitiu que alguém participasse da sua vida de uma forma única, investiu afeto e dedicou boa parte dos seus preciosos dias à busca por amar, ser amado e ser feliz. Só que, às vezes, nem tudo sai como se planejou. E é aí, quando se chega a esse momento de ruptura absoluta, que algumas pessoas se perguntam: "E agora, o que faço com quem está me causando tanto sofrimento?".

Foi exatamente essa a pergunta feita a mim por uma mulher que, após ter sido deixada pelo marido, me procurou por não suportar o ódio mortal que vinha sentindo. Chamaremos essa minha paciente de Jane e seu esposo de Lauro.

Ela repetiu a pergunta, só que agora com mais raiva. "Diga, doutor, o que faço com um traste dessa qualidade? Eu o mato? Foi mais de meia década da minha vida jogada no lixo. Ele não tinha o direito de agir assim comigo." Ela fez uma pausa esperando que eu dissesse algo, então respondi: "Você vai conseguir matá-lo dentro de você, Jane. Mas, antes de pensarmos em qual direção dar aos seus sentimentos, por que não me deixa escutar sua história?".

Ela me olhou, deu um longo suspiro e, após se aprumar na cadeira, começou a falar.

> "Sempre fui extremamente dedicada à nossa relação. Em cada aniversário de casamento, eu inventava uma comemoração de acordo com o calendário de bodas. Tivemos decoração de papel nas bodas de um ano, fomos a um parque para comermos algodão-doce nas bodas de dois anos, na de três anos fui a um sex shop e comprei umas coisinhas de couro para brincarmos, e assim seguia nosso casamento. Como neste ano faríamos bodas de açúcar, decidi que iria preparar uma mesa com as sobremesas de que mais gostávamos. Mas a data caiu bem no meio da semana e, por causa do trabalho e da correria do dia a dia, acabou passando em branco. Fiquei bem chateada e confesso que estranhei ele não ter dado importância ao fato. Até que, pouco mais de uma semana depois de termos completado seis anos de casados, enquanto tomávamos café da manhã, ele

simplesmente parou de comer o omelete que eu tinha preparado, e disse: 'Não quero mais'. A minha reação, inocente, foi dizer: 'Então, não coma, deixe aí'. Ele olhou bem nos meus olhos e completou: 'Não quero mais este casamento'. A xícara caiu da minha mão e perguntei o que estava havendo, se ele estava envolvido com outra pessoa. Ele negou, claro. Disse que não havia ninguém, mas que não encontrava mais prazer na nossa rotina, que precisava tomar outro rumo... Eu, que estava em choque, fui tão idiota que acreditei nessa conversa."

Naquele mesmo dia, Lauro informou a Jane que se mudaria para a casa da mãe dele até saber o que faria da vida. Nos primeiros dias, ele ainda ligava para ela, perguntando se estava tudo bem e tentava se explicar, como se desse satisfações sobre os motivos aparentemente sem sentido que o tinham levado ao rompimento. "Em uma das ligações, perguntei se realmente era isso que ele queria e cheguei a sugerir que déssemos um tempo afastados, para que ele pensasse melhor. Acabei me humilhando, implorando por uma chance, porque sentia que não suportava mais aquela ausência, mas ele estava irredutível. Passei, então, a ignorar as chamadas dele, para ver se 'dando um gelo' ele iria sentir minha falta."

Jane estava arrasada com a situação. Envergonhada, se sentia uma fracassada que não tinha competência suficiente para segurar o amor da vida dela. Não contou o que estava acontecendo para ninguém, isolou-se da família, dos amigos e começou a arrumar desculpas para faltar ao trabalho. Ela só queria ficar em casa, tentando sobreviver ao tsunami que a havia engolido.

Quando a dor nos separa de nós mesmos

Os dias foram passando, e a falta de rumo e de um desfecho definitivo fez com que Jane descuidasse da alimentação, da higiene, das obrigações, de tudo.

> *"Quando me dei conta de que minha estratégia de o ignorar não ia surtir efeito nenhum, e que Lauro tinha parado de tentar me ligar, comecei a ficar desesperada. Afinal, como ele poderia ter desistido de um casamento de seis anos assim tão fácil? A ideia de que ele já estivesse com outra mulher antes de dizer que queria se separar me tomou à cabeça como uma obsessão. Lauro não sabia, mas eu conhecia as senhas que ele usava no e-mail e nas redes sociais. Então, deixei a ética e o pudor de lado e passei uma tarde inteira vasculhando tudo que podia. Fui minha própria detetive!"*

Nesse momento, querido leitor ou querida leitora, abro um parêntese e chamo sua atenção para uma coisa importante. Nunca puxe uma arma se você não for capaz de atirar, porque é você que acaba morrendo. Preste atenção nisso, porque, se você sentir que ainda não vai ter forças para fazer nada com as informações que conseguir a respeito do seu relacionamento, é uma atitude psicologicamente protetora optar por viver na ignorância — pelo menos até você se sentir forte o suficiente para encarar os fatos. Então, cuidado para não tentar levantar um peso que pode esmagar você.

. . .

Voltando a Jane, quem procura acha e com ela não foi diferente. Rapidamente, ela descobriu que o marido não apenas a traía havia alguns meses, mas que vinha fazendo isso com a irmã de uma amiga do casal.

> *"Ódio. Minha vontade era beber o sangue daquele infeliz. Como ele havia levado poucas coisas para a casa da mãe, saí juntando tudo dele que ainda estava lá em casa. Ternos, camisas, sapatos, cuecas, livros, documentos, fotos... Coloquei tudo no meu carro, levei para um terreno baldio perto do condomínio onde moro e toquei fogo. Eu queria, na verdade, era tocar fogo nele. Depois disso, achei melhor procurar ajuda, e é por isso que estou aqui. Tenho medo de estar enlouquecendo. São muitos sentimentos misturados dentro de mim ao mesmo tempo."*

Não, caros leitores, Jane não estava ficando louca, como ela temia. O caso é que, quando somos abandonados, logo de saída temos de suportar duas dores que nos deixam completamente desorganizados e divorciados de nós mesmos: a da rejeição e a do abandono. E essas duas feridas, juntas, são tão poderosas que atacam diretamente a autoestima, o orgulho e a autoconfiança. De alguma forma, nossa cabeça pensa que, se fomos rejeitados, ou é porque não temos mais valor ou porque não temos o valor suficiente para sermos amados.

Se você está vivendo isso, deve estar se perguntando: "Qual o caminho para fazer essa dor passar?". Olhe, preciso lembrar que não trago as tais fórmulas mágicas que tentam transformar essa situação em algo prático e simples de resolver — e recomendo, mais uma vez, que você duvide e fuja de quem diz que tem esse passo a passo. Mas posso lhe garantir que o conhecimento sobre si mesmo (ou sobre si mesma) e sobre o que você vive é a chave do poder e da cura. Então, vamos começar entendendo que esse grande sofrimento causado pelo fim de um relacionamento normalmente se divide em cinco fases. E acredito que, a partir do momento que conhecer cada uma dessas etapas, você vai se sentir mais no controle de suas emoções, vai administrar melhor seu abandono e certamente não vai chegar a um descontrole igual ao de Jane. Se ela, logo de saída, tivesse entendido a espiral emocional em que estava presa, tenho certeza de que não teria somado à sua dor o desespero de acreditar estar enlouquecendo. Então, vamos ver agora cada uma dessas fases.

① A DEVASTAÇÃO

O impacto de ter sido deixado faz dessa fase, sem dúvida, a mais dura de todo o rompimento amoroso. Nela, o sofrimento é enorme e a gente tem a sensação de que a dor não vai passar nunca. É como se não conseguíssemos acordar de um pesadelo. Para muitos, a vida começa a perder o sentido, o valor, e é comum não se ter forças para se reerguer. Passamos a ter dificuldades no sono, perdemos o apetite, começamos a descuidar de nós mesmos, ao lado de um monte de outros sintomas.

Quando estiver vivendo esse momento, não enfrente isso sozinho ou sozinha! Procure amigos, família, filhos, quem quer que seja, mas não fique só, combinado? E ponha uma coisa na cabeça: mesmo sendo uma fase muito dura, tudo isso que você está vivendo é normal e é temporário. Vai passar sim, tenha certeza disso.

② A ABSTINÊNCIA

Parece estranho, mas é exatamente isso. Seu corpo vai entrar em um estado de abstinência, igual ao de um dependente químico. A sensação é de abstinência, de fissura, e sua cabeça vai criar um montão de fantasias sobre a possibilidade de essa pessoa voltar atrás.

O curioso é que, mesmo sentindo raiva, você vai se perceber precisando tanto da presença dessa pessoa que irá se dispor a fazer e a prometer qualquer coisa para tentar reconquistar esse amor perdido. Nessa fase, sua companhia mais próxima é o desespero. Mas, olhe, não vou mentir para você: é preciso viver sim esse momento, porque é a partir dele que você começa a reconhecer que vai conseguir viver sem o outro. E é aí que vem o início da fase de desintoxicação dessa sua paixão viciante.

③ A INTERIORIZAÇÃO

Nessa fase, você vai idealizar a pessoa que abandonou você. De repente, vai sentir como se ela tivesse mais qualidades que realmente tem. É aquele momento em que você vai se encher de dúvidas, e sua cabeça vai começar a formigar com um monte de questões. "E se eu tivesse feito tal coisa diferente?"; "E se eu tivesse sido menos cabeça-dura?"; "E se eu não tivesse reclamado tanto?"...

Enfim, nessa fase, a sua raiva vai se voltar contra você — e certamente chegará um sentimento de culpa pelo término da relação. Mas é aí que você precisa ser uma pessoa atenta: entenda que uma relação é algo de mão dupla e que, por mais que você tenha errado, não existem anjos nem demônios nessa história. Se um errou, o outro foi, no mínimo, cúmplice. Na verdade, você começa a viver a culpa basicamente porque na sua fantasia (quase sempre inconsciente), se o erro foi seu, você pode corrigi-lo, pode se transformar, pode se melhorar e fazer o outro voltar para você.

Desculpe-me quebrar sua ilusão, mas é claro que isso não é assim. Culpar-se pelo término é, no fundo, só uma tentativa de ter controle da situação, de ter poder para fazer ser diferente o sentimento ou a vontade do outro. Coisas que, definitivamente, não dependem de você.

④ A IRA

Depois dessa raiva toda que caiu contra você, tentando fazer do outro um santo, e depois de se dar conta que mesmo assim ele não voltou para você, a ira agora vai se voltar contra ele. Embora a sociedade nos ensine que a gente não pode, ou não deve, alimentar raiva, ódio, ou qualquer outro sentimento negativo, aprenda que, nessa fase, essa sua ira vai é lhe fazer muito bem. Ela vai permitir que você veja o outro de uma forma mais realista e menos romântica.

É nessa fase que vem a vontade de fazer dieta, entrar na academia, comprar roupas novas, repaginar o visual. Ou seja, com a raiva, começa seu momento de transformação, e você tem o direito (e o dever) de se valorizar e de alimentar sua autoestima.

As lamentações vão, aos poucos, desaparecendo, e talvez você se perceba desejando que quem abandonou você morra ou passe por um sofrimento pior que aquele que você viveu. Mas não ligue para isso nem faça nenhum julgamento se esse tipo de pensamento passar pela sua cabeça. Além de você não estar "virando" uma pessoa má nem mesmo enlouquecendo, como imaginou Jane, você está é entrando em um momento de aceitação da realidade e do fato de que não tem nenhum poder sobre o desejo do outro de ir embora da sua vida.

⑤ A SUPERAÇÃO

Nessa fase, você vai se sentir capaz de olhar para o que passou. Vai poder ver que existe um futuro, e isso será algo profundamente libertador. É como se voltasse a correr nas suas veias a força, a energia, o desejo por novos projetos, e um mundo de outras coisas boas. E aí, com a sua autoestima já parcialmente refeita, você vai sentir que começa a existir espaço na sua alma para a possibilidade de viver um novo amor.

É claro que essas cinco fases não acontecem assim, como descrevi, de forma organizada, com todo mundo. Você pode passar por todas em poucos dias, achar que já está vendo a luz no fim do túnel e, de repente, bater aquela tristeza forte de novo. E, aí, é preciso que você entenda que essas fases são como o túnel de vento de um furacão, girando em uma espiral cônica que pode até recomeçar, mas que você vai sair bem mais rápido dessa situação do que imagina.

Usei a imagem da espiral cônica de um furacão de propósito, porque é algo que passa diversas vezes pelo mesmo lugar, mas cada vez em um círculo maior e mais distanciado do ponto inicial. Pode ser que em determinados momentos você fique um pouco mais de tempo nessa ou naquela fase, mas isso não importa. Saiba que você tem o direito de viver sua dor e isso precisa acontecer na sua velocidade.

Na verdade, você necessita viver essa dor como quem usasse uma roupa até o tecido ficar tão gasto a ponto de se rasgar. Só então você vai sentir que a roupa que antes achava bonita virou um trapo e que você não precisa mais usá-la — assim como não merece usá-la. Por isso, espere pelo futuro e por você.

Curando as feridas da separação

▶ Rompa o padrão

Algumas pessoas, quando passam por uma separação, têm a sensação de estarem vivendo uma espécie de repetição. Chegam a pensar: "Essas coisas sempre acontecem comigo", "Minhas relações sempre terminam assim", "Deve ser meu carma encontrar pessoas canalhas que me abandonam", e por aí vai.

Fique atento: na verdade, você pode, sem perceber, estar preso ou presa a um padrão de relacionamento que faz com que sempre escolha o mesmo tipo de pessoa, só mudando o nome. É hora de romper esse círculo vicioso.

Para isso, tenho um exercício prático a lhe propor. Faça uma lista das pessoas com as quais já se relacionou e anote dados como: onde vocês se encontraram, como cada pessoa tratava você, quais eram os temas que apareciam com mais frequência nas discussões de vocês, como era o humor dos seus antigos relacionamentos etc. Depois, encontre os pontos que todos têm em comum. Quando entender em qual padrão de pessoa você se fixou, vai ter a possibilidade de reescrever sua história amorosa, só que, dessa vez, buscando personagens diferentes e que possam lhe trazer muito mais felicidade.

▶ Respeite o ritmo da sua cura

Você precisa aguardar seu tempo de cura e respeitar seu momento. Afinal, por mais profunda que seja uma ferida, ela sempre vai cicatrizar. Você só precisa resistir à ideia de ficar cutucando, para não tirar a casquinha e machucar de novo. Então, é hora de guardar fotos, bilhetes, presentes, e tudo mais que lhe trouxer recordações desse relacionamento. Coloque tudo numa caixa, lacre com fita adesiva e ponha no fundo do guarda-roupa, no quartinho da bagunça (se tiver um), ou entregue a alguém de sua confiança e peça que guarde para você até que suas feridas não tenham mais casquinha e já tenham virado cicatrizes.

Ah, e, até que chegue esse ponto, nada de procurar saber notícias da pessoa pelos colegas e amigos em comum. E isso inclui não ficar procurando ver o perfil da pessoa nas redes sociais. Bloquear é melhor, mesmo que temporariamente.

▶ Mantenha uma vida com vários pilares

Imagine um grande edifício sustentado por um único pilar. Ainda que esse edifício pudesse existir, você certamente concorda que seria uma imprudência projetá-lo dessa forma. Afinal, qualquer dano causado pelo tempo e corrosões significaria o risco de um desabamento de toda a estrutura. Agora, imagine que esse edifício é a sua vida e o único pilar que a sustenta é o seu relacionamento amoroso. Quando esse pilar trincar, sua vida inteira vai desabar.

Por isso, coloque diferentes pilares sustentando sua existência, porque, quando um deles falhar, o edifício pode até sofrer danos, mas se manterá de pé. Quanto mais pilares você colocar segurando a sua estrutura de vida, mais fácil vai ser para se manter firme quando houver algum rompimento ou falha no pilar das relações amorosas.

▶ Compreenda que vai passar

Embora quem esteja vivendo uma separação sinta como se a dor nunca fosse se esgotar e como se não houvesse saída para esse fundo de poço, uma pesquisa feita nos Estados Unidos mostrou que pessoas que passaram por um período de luto após o fim de um relacionamento conseguiram se recuperar completamente em um espaço de tempo médio de nove semanas.

Apesar de o tempo poder variar para mais ou para menos, dependendo da sua história de vida, de experiências amorosas anteriores, de traumas, entre outros fatores, em nove semanas já é possível se observar, em algumas pessoas, o que os pesquisadores chamaram processo de "reorganização do autoconceito".

Então, compreenda que, por mais que seu coração teime em lhe dizer que esse inferno que anda queimando sua alma nunca vai acabar, a verdade é que isso que você está vivendo vai passar, sim.

▶ Mude seu ponto de vista

A forma como você enxerga o término do relacionamento também é fundamental para que possa se reerguer. Então, em vez de entender tudo isso que viveu como uma história cheia de rejeição com um final triste, tente avaliar a experiência e extrair todos os aprendizados que ela lhe deixou.

Nós somos a soma das nossas vivências, boas e ruins. Por isso, converse com você mesmo e com outras pessoas que acompanharam seu relacionamento para ter pontos de vista externos, e transforme essa experiência dolorosa em um curso de autoaperfeiçoamento. Ao fazer isso, em vez de entender que está perdendo o amor da sua vida, você vai perceber que está ganhando a chance de ser uma pessoa melhor e mais madura.

. . .

E é justamente sobre a jornada que fizemos neste livro e sobre o significado dela na sua vida que falaremos a seguir. Venha comigo que ainda tenho umas coisas para lhe contar, antes que nossa viagem termine.

CONCLUSÃO

· · · · · · · · · · · · · · · · ·

A VIAGEM TERMINA COM O ENCONTRO DOS APAIXONADOS

Ah, minha linda dama, para onde estás indo?
Fica e ouve: teu amor verdadeiro vem vindo.
Ele canta de tudo um pouco, baladas e coisas tais.
Ah, meu lindo passarinho, não viajes mais.
Viagens terminam quando o amor tem início,
E até filho de homem sábio sabe disso.

WILLIAM SHAKESPEARE,
"AH, MINHA LINDA DAMA", NOITE DE REIS

DEPOIS de termos chegado juntos até aqui, acredito que você tenha percebido que nem todo mundo compreende o que é necessário para se alcançar uma relação saudável e feliz. No decorrer deste livro, escolhi tratar de situações que são bastante comuns no dia a dia das relações, esperando que esses temas lhe servissem como um guia de estrelas que pudessem ajudar a iluminar a escuridão. Mesmo assim, precisamos ter em mente que um relacionamento é bem mais que tudo que a gente conversou até aqui.

Na verdade, em cada uma das reflexões que fizemos juntos, meu objetivo foi lhe fazer perguntas que pudessem ajudar na sua vida amorosa, para que você descobrisse o que existia de seu nas respostas que viessem à sua cabeça enquanto estivesse comigo nestas páginas. Se encontrou partes de você (e não de mim) em tudo que leu, terá percebido que algumas alternativas que esperava para o seu relacionamento não foram abordadas neste livro. Essas lacunas sempre vão existir. E sabe por quê? Pelo simples fato de que "fórmulas mágicas" e totalitárias não existem!

Digo isso com tranquilidade, porque sei que cada encontro é único e específico. Todo relacionamento amoroso tem seu ganho e seu preço. O que anima no início de uma relação pode não durar da mesma forma ao longo do relacionamento e vice-versa. Como nos ensina um trecho da peça *Romeu e Julieta*, "o amor é uma loucura sensata, um fel que adoça, uma doçura que amarga".

É por buscarem soluções rápidas e absolutas que muitas vezes as pessoas leem, em diferentes lugares, profissionais propondo "soluções fáceis" para problemas amorosos, e alguns leitores até se empolgam com a possibilidade de aplicá-las ao cotidiano, esperando transformar o relacionamento como da água para o vinho... mas, no fim das contas, isso não acontece. Cada relação é única, e é natural que surjam problemas específicos que só vão ser solucionados no processo de convivência consigo mesmo. Ou seja, a vida e o amor é uma eterna negociação que fazemos conosco e nossas respostas nunca vão estar no outro, mas sim em nós, sempre.

Se as soluções e os caminhos para as nossas questões amorosas não estivessem escondidas na gente, as dores e conflitos que podem existir nessas relações nunca seriam resolvidos quando o outro não estivesse mais presente ou se recusasse a voltar para o nosso abraço. Só que isso está bem longe de ser verdade.

Acredito que você também compreendeu, no percurso deste livro, que existe um grande engano que paira sobre os relacionamentos. Muita gente busca uma relação com outra pessoa para suprir suas necessidades afetivas. E, olhe, acreditar nisso é uma tentativa em vão de alcançar o inalcançável.

Há pessoas que vivem como um náufrago que precisa se agarrar urgentemente a alguma coisa para não morrer afogado. Então, não espere que o outro seja esse pedaço de madeira no qual você vai se agarrar de forma desesperada com medo de afundar no seu mar de carências. Na realidade, você deve aprender a nadar lado a lado com o outro.

Reinvente-se como alguém que não tem medo dos próprios abismos emocionais, porque quem você ama nunca vai conseguir lhe dar o retorno que você espera. É curioso descobrir que a impossibilidade do outro de preencher você cem por cento deixa a relação vulnerável e forte ao mesmo tempo.

E essa vulnerabilidade existe porque as incertezas, as angústias e os sofrimentos que você carrega não vão deixar de existir apenas porque você está vivendo uma relação amorosa. E quando a outra pessoa não consegue satisfazer esses seus vazios, isso acaba se transformando em frustração, não aceitação do outro e raiva. Aí, você vai achar que "quebrou a cara" nessa relação "insuficiente" e vai abandonar o barco, pensando que o relacionamento não vai dar certo ou que não está mais fazendo sentido. Como se você tivesse se apaixonado por uma miragem.

Por outro lado, você também vai descobrir que, mesmo a pessoa que você ama sendo cheia de falhas e defeitos, ela pode ser não o pedaço de madeira que salva o náufrago desesperado, mas sim um porto seguro. Talvez sua relação não seja o transatlântico que você sonhava, mas pode ser um confortável iate que protege você do frio e das ondas tempestuosas que sacodem seu coração. Ou seja, a outra pessoa nunca vai conseguir atender a todas as suas expectativas emocionais — e nem precisa —, mas vai ajudar você a viver muitas das suas fraquezas e dores internas. E isso já será muito bom!

Lembre-se de que a busca por um relacionamento traz sempre o encontro com alguém que, assim como você, tem passado e feridas. E esse encontro vai exigir um encaixe delicado, paciente e cheio de renúncias de ambas as partes. Se vocês cuidarem dessa relação, mesmo com as diferenças e lacunas que existem entre os dois, as chances de que se mantenham apaixonados e unidos são enormes. Não porque vocês tenham medo da solidão, mas por poderem se imaginar fazendo planos e envelhecendo juntos. Só assim pode nascer o amor fundado na intimidade, na entrega e no compromisso.

Mas o amor sustentado por esses três pilares parece uma realidade cada vez mais rara, se considerarmos o número de separações e pessoas solitárias que só aumenta a cada dia em nosso planeta. Foi por isso que também busquei, com os temas tratados nos capítulos deste livro, mostrar diferentes pontos que podem castigar as relações. A artificialidade dos relacionamentos, os modelos "certos" a serem seguidos, a perda de identidade, a traição da confiança, a manipulação do outro, a idealização de que ele lhe pertence, a preocupação com a imagem social e com as intromissões alheias, a burocracia sexual... Todos esses temas remetem a uma certa desconexão de si mesmo e às dificuldades de se organizar diante dos movimentos da pessoa amada.

Por isso, é hora de compreender que, ao viver qualquer relacionamento amoroso, você leva na bagagem as relações que estabeleceu com seus pais, seu mundo de feridas, sonhos, experiências e idealizações. E esse mundo nunca é, como já falei, completamente satisfeito por ninguém (nem por nenhum conselho ou sugestão de quem quer que seja).

Este livro começou com um casal se encontrando em um aplicativo da internet e se distanciando mutuamente. Agora, retomamos essa imagem inicial para dizer que a viagem por essas páginas termina com o encontro dos apaixonados. Mesmo que aparentemente a relação com a outra pessoa por quem você se apaixonou esteja no fim, ou já tenha terminado, cada encontro que você vive está apenas no começo. Pareceu contraditório? Calma, bebê!

O encontro dos apaixonados ao qual me refiro, que está apenas no começo e que vai se manter permanentemente aberto, é aquele que você tem consigo mesmo ou consigo mesma. E digo apaixonados, no plural, porque, embora sejamos únicos, nossa essência é como um diamante cheio de facetas que, refletindo de diferentes formas nossas emoções e jeitos de ser, nos faz muitos em um só. E é o encontro e a paixão por esses muitos "eus" que habitam em você que funda e ao mesmo tempo conclui sua viagem.

Portanto, seu relacionamento com os outros só vai prosperar quando você, antes de qualquer coisa, questionar se o que existe em você, e que merece ser desejado pelos outros, é suficiente para que você se ame. Ter clareza dessa resposta é fundamental, porque muitos parecem sofrer de uma tremenda carência de amor-próprio. Sendo esse o seu caso, você inviabiliza seus relacionamentos, já que não faz a gentileza de se amar primeiro.

Por isso, na apresentação deste livro, eu preveni você de que não tomasse as minhas falas, nem a de qualquer outro "ólogo", como uma verdade absoluta. A melhor coisa a fazer é experimentar o encontro com seu universo interior, para descobrir as próprias alternativas desse mistério permanente do amar, (des)amar, amar(de novo).

Que esse livro seja, então, uma porta que se abre em sua alma. E, como toda porta leva a algum lugar, tome coragem, ultrapasse a soleira e passe por ela. É hora de voltar os olhos para dentro de você e ser as respostas que, durante tanto tempo, você buscou no mundo aqui fora. Vamos lá, não tenha medo. Dê o primeiro passo para encontrar-se com a pessoa que precisa ser sua grande paixão até o fim da vida, *você mesmo* ou *você mesma*. Porque o nosso destino e a nossa felicidade sempre vão estar em nossa posse, e nunca nas mãos de quem quer que seja.

Eu estarei aqui, na torcida, desejando-lhe uma empolgante e produtiva viagem em busca da paixão por você mesmo ou por você mesma. Pense nisso!